ARS LONGA

ARS LONGA

優秀是教出來的

隆‧克拉克

The Essential 55　　by Ron Clark

諶攸文 譯

優秀是教出來的

作者：隆‧克拉克(Ron Clark)

譯者：諶悠文

製作：*Neogen*工作室

出版者：雅言文化出版股份有限公司

(T):886-2-83693416　(F):886-2-23652130

e-mail:contact@arslonga.com.tw

Publication Date:2004/10

台澎金馬總經銷：大和書報圖書股份有限公司

定價：250元

6　8　9　7　5

國家圖書館出版品預行編目資料

優秀是教出來的 / 隆‧克拉克(Ron Clark)；諶悠文譯.
--〔臺北市〕：雅言文化，2004〔民93〕
面；　公分
譯自：The Essential 55: an Award-
Winning Educator's Rules for Discovering
the Successful Student in Every Child
ISBN 986-80180-7-2 (平裝)
1. 教學法 2. 生活指導
521.4　　　　　　　　　　　　　　　93016454

獻給爸媽

感謝你們讓我站在你們的肩膀上

也獻給我所有的學生

關於人生，你們教我的
遠比我所能教你們的
多很多

目錄

序

我要給每個學生一個不同的人生

我們都叫她「Mudder」。她喜歡收看肥皂劇「指路明燈」（編註：Guiding Light，美國歷史最悠久的連續劇，播放已超過五十年），喜歡吃甘藍菜，喜歡吸鼻煙，她就是我奶奶。奶奶身高才一百五十出頭，可是她手一插腰，全家第一高就是她。她是道地的南方淑女，一點點的不三不四也受不了，週遭全敬重她。要吃過苦頭才懂得敬重她的人，一定是隻可憐蟲。在我成長的過程中，奶奶一直住我家，我能夠成為今天的我，受她的影響最大。我對我的學生以及所有人會有書裏面這五十五種期待，即拜她之賜。她和我的爸媽以真正美國南方的方式把我拉拔大，教我對人有禮、尊重他人、感激他人、欣賞他人。除此之外，他們也教我享受人生、把握

人生的每個機會和每個時刻。我很幸運，周遭都是好榜樣，幫我學會好好生活，不要虛擲光陰。

我一當上老師就發現，許多學生沒有得到我在成長過程中的那種指引和機會。我想為學生樹立典範，做他們的榜樣，就像我的家人那樣。為了要給他們一點方向，去把握人生，體驗人生，我才會整理出這份「超基本五十五條」。我和孩子們相處這些年來，這份本來只有五條的清單一直擴增又擴增，現在已變成一本人生功課的手冊，我也看到我的學生脫胎換骨，無論在言談舉止、學習成績、待人接物，都大大進步。

這些規則用在學生身上雖然成效斐然，卻不只兒童適用：這裡列舉的五十五項規則大部分可以適用於任何人，不分老少男女，從不管是家庭主婦還是醫生、政治人物、服務生。這些規則告訴我們如何生活、與人互動、體驗人生，因此，它們適用於每一個人。

我很慶幸能有機會與孩子密切相處，發展出這五十五條規則。五十五條規則既結合了我的成長經驗和我學到的人生功課，也加進其他一些，為了維持秩序和發揮

學生的潛能。可是，這些規則並不只是要讓孩子循規蹈矩，更重要的，是要他們為離開教室後的人生做好準備。他們要準備好處理任何可能情況，養成可以應付自如的自信。你可以說它是一套包含五十五個步驟的計劃表，卻沒有固定順序。從開學第一天起，我就解說所有五十五條，要學生練習並切實遵守。學期結束時，我喜歡說，我的學生都已經「磨亮」了。我知道我可以帶他們到任何地方，置他們於任何處境，教他們任何事物，因為他們經過「磨亮」，都樂於學習，渴望體驗人生。

　　帶領孩子學習這五十五條班規的時光真是美妙，我無法想像我以後會做教書以外的任何工作。但說來諷刺，在我青少年時期，教書可說是我將來最不願意做的事情。我記憶所及，我小時候最希望將來能到埃及發掘古墓、當個戰地記者飛到世界各地採訪，或是到外國秘密從事間諜活動。教書這麼無趣、缺乏挑戰和麻痺心智的行業，我壓根都沒有想過。

　　我就讀高三時，我和爸媽坐在一起討論讀大學選校事宜。我爸媽很勤奮工作，可是對他們來說，籌措我的

大學學費仍很吃力。我還記得爸爸對我說：「小隆，你不必擔心。那是我們的責任。你只要注意你的成績。」我愛他們，因為他們願意為我犧牲，可是我卻不想要他們陷入捉襟見肘的窘境。在那時，我聽說有一個「教師養成獎學金」。拿這個獎學金的學生只要同意大學畢業後在北卡羅萊納州教四年書，就可以不用操心大學的所有學雜費。無論如何，我當時並沒有當老師的意願，可是我知道，拿到這個獎學金會使我家經濟寬鬆許多。我決定要利用這個獎學金來支付我的學費，可是畢業後我不會當老師。我會進入另一個能夠讓我償還這筆獎學金的行業。這不是我覺得光彩的計畫，但在當時卻言之成理。

在大學時代，我發現我真正熱愛的是冒險。任何類型的挑戰都讓我興致勃勃，我也著實瘋過許多時候。有一次，我和朋友布瑞只穿短褲，從頭到腳塗成紫色，被一群警察追著跑，在一場全國轉播的比賽中跑過整個足球場。在甜甜圈連鎖店「丹金甜甜圈」打工時，我和人玩捉迷藏，我竟然躲進一個正在加熱的烤箱裡被反鎖起

來，我又正好不小心把同事鎖在店門外，那次我幾乎被烤死。此外，即使我懼高，我還是去高空彈跳、登山、攀岩、在大西洋飛拖曳傘。大學畢業時，我知道我絕對不要教書。其實，我完全不想工作。因此，為追求更多的冒險，我搬到倫敦，在餐廳當一個獻歌獻舞兼端盤的服務生。我利用我的美國南方口音報效英國觀光業六個月，就離開英國，揹著背包橫越歐洲，最後在羅馬尼亞落腳。我與吉普賽人在一起，他們請我吃老鼠，讓我吃出大病，逼得我非得搭機返家不可。我的冒險有甜有苦，可是即使曾經上吐下瀉、差一點就被烤死、惹到警察，這些經驗仍是值得的，因為每次我的人都變得更堅強、更有智慧、更好。

我從羅馬尼亞返家之後，爸媽看到我開心極了，可是我不打算待在家太久。我的朋友布瑞將搬到加州海邊去住，我迫不及待想要跟著搬去。但是媽媽卻想盡辦法要我留下來。她告訴我，我們鎮上有一位教小五的老師最近去世。去世得很突然，學校師生和全鎮都很難過。我們住鄉下，歐羅拉鎮（Aurora）的人口只有六百。開車

二十分鐘才會碰到一個紅綠燈，因為每天需要交通往返，學校很難吸引到教師前來。媽媽告訴我，代課老師已經代課一個月，班上學生變得很難管教。學校大約有百分之七十五是少數族裔，學生大多數依賴免費或減價的午餐。我為學生覺得難過，可是我沒有興趣去帶這些又難教、又好動的五年級學生，他們許多都有偏差行為與學習障礙。

我告訴媽媽，我絕對絕對不可能去那所學校任教。她說，如果我連去和校長談一談都做不到，她和爸爸將被迫終止借錢給我出去冒險。第二天，我是第一個踏進史諾登小學校門的人。

雖然我同意去見校長，我仍沒有接下教職的打算。我的阿姨卡洛琳在學校當秘書，所以我只是打算在飛去加州前見她一面。到了學校後，我拜訪了阿姨，然後見了校長安德瑞・羅柏森女士，她帶我參觀學校，並告訴我，如果我接受這個職務，我會教的是什麼樣的學生。她告訴我，這群學生有多麼難教，哪幾位有學習障礙，以及無論如何，我都必須提升他們的考試成績。我記得

16

我當時心想：「這位校長說了半天，反正就是想勸我來這裡教書。」我表現出有興趣的樣子，心裡想的卻不是這麼回事。然後她帶我到五年級這班的教室。我們走進去，有一個名叫雷昆的小男生坐在離門口只有幾呎的地方。他抬著頭，褐色的圓滾滾眼睛看著我說：「你是我們的新老師嗎？」我無法說明那時的感受；那就像上主突然對我顯示真理。雷昆的聲音中流露出立即的信任，臉上全是興奮，顯然萬分渴望安定。是這些，讓我有受到召喚之感。我知道我應該留下來，就看著他說：「我想是的。」

在我親自帶這一班之前，校長希望我觀察代課老師上課情形。她不想只是把我丟進來，對班上狀況毫不知悉。代課的華道爾老師是個怪姑姑，總是手拿三明治，蓬亂的假髮總是歪歪的。在我觀察她的第一天，有個學生回答不出問題，她就脾氣暴躁起來。她在黑板上畫三個小圓圈成一排，要小男生用鼻子貼住中間的圓圈，左右手各一根手指按著其他兩個圓圈。她罰男生那樣站著，她自己則轉身面對全班，再問同樣問題一次。下一

個學生回答了正確答案，她就雙手舉起，宣布感受到天降聖靈，並唱完一整節的「奇異的恩典」。坐在教室看這個老師教一個禮拜，我教這些學生的意願一天比一天強烈。他們需要我的程度超出我所能想像的地步。在交接前，代課老師卻送給我一句「至理名言」。她對我說：「你知道，克拉克老師，你將會做得很好。只要你能影響一個孩子的一生，你就成功了。」

我一直都很不喜歡她那句話。我覺得所有的教育工作者必須要有「每一個學生都不放過」的決心。「教好一個就算成功」的心態並不夠。我每一年開始帶一班，心裡都很清楚，我只有一年的時間，去改變班上每個孩子的一生。我一定卯足全力。當我第一次走進教室，從華道爾老師接下那一班的時候，我知道的並不多，可是我卻知道我的人生從此將大大不同，因為我已下定決心，要給我的學生一個不同的人生，一個更好的人生。我的教書生涯已經開始。

接下來七年的教書經驗就像坐雲霄飛車。我曾獲邀訪問白宮、被家長打過九一一求救電話叫警察來抓我、

也帶過學生到全國各地旅行，指定的作業曾獲得世界各地的回響，我本人也從北卡羅萊納州的鄉下，搬去紐約市的哈林區。我努力教孩子學會「超基本五十五條」的這些日子裡，所發生的點點滴滴，我都寫入本書。 其中有酸甜苦辣，有成功有失望，一路上我自己也上了很多課。

當你仔細看過五十五條班規，你可能喜歡其中一些，並決定讓孩子應用在生活中，其中也可能有些你不太認同。對於孩子的日常言行，我們都有不同的容忍度，我們對自己與別人，都有不同的標準。我提出我的「超基本五十五條」班規供大家參考，都是經過嘗試而且確實可靠的方法，已經對我的學生發揮很好的作用。我希望你們也覺得這些規則有用。

★超基本 *1*

遇到大人，要主動稱呼。大人問你話，你一定要清楚回答：「是 ／ 不是 ／ 好 ／ 不好 ／ 有 ／ 沒有」，或說「我不知道」。不可以光是點點頭或搖搖頭，也不可以含糊答「哦」或「嗯」。

因為我在北卡羅萊納的鄉下長大，這條班規對我來說是最理所當然的事，當然正好做第一條。我覺得這是所有五十五條中最重要的一條，因為我期待學生尊重他人，做到這一點就是最基本的一步。如果你想要孩子尊重你，就要教他們。告訴小孩遇到大人要稱呼「某某老師」或「某某伯伯 ／ 叔叔 ／ 阿姨」，就等於是教導他們與大人應對的態度。我也教學生，要這樣和大人應對，才

會更順利。不只小孩，大人與大人之間的互動，這條規則也很有用。我最近就有個親身經歷：我認為電話帳單有誤，打電話給電話公司，服務小姐不太友善。對話進行到一半，我說了一句：「某某小姐，您說的沒錯。」她的態度立刻變好起來，變得更親切，更容易溝通。到頭來我的帳單整整縮水一半，比我預期的划算多多。

　　我在哈林區的一些學生去考一家紐約市的頂級初中，其中有一項是口試。這所頂級初中下一學年只招收三十個名額，全紐約市有好多好多孩子報考，包括我的十二個學生。我和學生沙盤演練面試的過程，我強調的一個重點是：「無論如何，你一定要說：『是的，某某老師』或『不是的，某某老師』!」數週後，我很高興聽到我的十二名學生全部錄取。我和頂級初中的招生主任聊天時，他一再說我的學生是多麼彬彬有禮。做起來這麼簡單的一件事，效果卻好顯著！

★超基本 2

看著別人的眼睛。當別人在講話時,你的眼睛要一直看著他。如果旁邊有人發言,你就轉頭去面對那個說話的人。

保持眼對眼是許多人覺得難以做到的事,可是當你要別人搞清楚你說的重點,要別人知道你說的是認真的,眼神接觸就很重要。譬如,你去找老板要求加薪,如果你看著老板的眼睛,而不是看著下方,他就比較有可能認真看待你的要求。你要提出一項商業企劃案,如果對方認為你有信心,非常確定自己在做什麼,對方就比較有可能會信任你,相信你的構想。

我花許多時間教學生與人談話時保持眼神接觸。為了讓孩子有練習的機會,我把他們分成兩組。然後我告

訴他們，在說出想法時看著對方眼睛，可更凸顯你說的話，使你說的話更富有感情。當你眼睛看著遠方或看著地板時，顯示你不確定你說的內容，可能你不是在說實話。我也告訴學生有此一說：說話時眼睛不斷瞥向左上方，意味著不誠實。他們分好組，我就讓他們練習彼此交談，留意他們與同伴保持眼神接觸的談話效果。

保持眼神接觸不只是展現信心的一種方式，也是表示尊重。當一個學生在班上表達意見時，我一定要其他所有學生轉頭去看著他。直到這個學生講完話，我才准許其他學生舉手發言，因為如果他們在同學講話時舉手，彷彿他們比較關心自己想說的話，而不在意發言同學的意見。我要學生想像一下，如果他們在表達想法時，週遭的人不停揮手，他們自己做何感想。這會讓他們覺得自己的想法不重要，所以我們不可以這樣。

我還記得，當我還是學生時，上課時只要看著老師，就很難發呆。如果我注視著前面同學的頭，或自己手裡的鉛筆，一下子就會發起呆來，可是看著老師就不一樣。因此我教書時，就一定要所有學生的眼睛看著

我。那麼一來，我就可以邊教邊看到學生的表情，看他們是聽不聽得懂、覺不覺得好玩、專不專心。此外，因為我在教與學上面都很注重視覺，我常常雙手揮舞比畫，要不然就在黑板上寫大字，我希望孩子不要錯過我的每一個動作，知道我在幹嘛。

我在速食店打工過一陣子。我在連鎖店「丹金甜甜圈」花過無數的時間製作甜甜圈，也在好多家餐廳侍候過客人用餐。提供服務是滿愉快的，可是遇到刁難的顧客時，也是一種折磨。我記得當顧客點菜時看著我的眼睛時，我總是滿心歡喜。看著別人的臉才算尊重。當顧客離去時，我總是期待他們說聲謝謝，可是許多人沒有說，讓我覺得不解。他們在想什麼？許多人是在轉身離開或開車離去時隨便說聲謝謝。為什麼不花一秒鐘看著對方的眼睛，真誠說謝謝呢？

我設法讓我的學生對著學校裡面老師以外的成人練習。門房、廚房員工、秘書和教務助理好像都不值得獲得和老師一樣的敬重，我努力扭轉學生的那種印象。我向學生說明在學校每個人扮演的角色，以及每個人的工

作如何使孩子獲得很棒的教育。然後我告訴學生，如果人們覺得被賞識，所做所為是有貢獻的，他們就會工作更努力，更有績效。我確定我自己有樹立好榜樣，因為我都以友好和尊重的態度與學校所有員工互動。我沒有費很多力氣，學生就開始效法我，而且效果卓著。我們走進學校餐廳，學生不可以排隊時交談，取用食物時，他們點每一樣菜，一定要看著餐廳員工的眼睛說：「麻煩您給我一點這個。」他們總是對餐廳員工說謝謝。員工總是說我這班多麼令人覺得窩心，他們感激所受到的尊重。

無論我們和週遭怎麼互動，不管我們說什麼或做什麼，如果配合眼神接觸，都會更受到重視。

★ 超基本 3

如果班上有同學贏得比賽，或有什麼出色的
表現，大家都應該鼓掌恭喜他。鼓掌應該持
續至少三秒，手掌的角度要剛好，才能拍出
響亮的掌聲。（我知道這樣說很蠢，可是孩
子喜歡聽這一套。）

想像一場足球賽或籃球賽。有球員達陣或投籃得分
時會怎樣？觀眾都會為那個球員瘋狂喝采。我想，在所
有通力合作才能達成目標的地方，像職場、家庭，尤其
是教室，都應該培養出一種互相扶持、大家一條心的氣
氛。這明明是簡單的道理，卻不知怎麼，還是有父母親
不願多給孩子一點鼓勵，也有校長和組織領導人就是不
願創造這種大家為彼此成就感到高興的氣氛。

我設法為我的學生樹立一個榜樣，說明一個真正的團隊和家庭會如何支持和讚揚別人的努力。學年第一天，我就這麼告訴同學：

同學中有誰在表現特優的時候不喜歡別人慶賀的嗎？當然沒有。我們都喜歡別人祝賀。我們整個班在本學年會是個大家庭，家人應該互相扶持，為彼此的成就感到高興。那就是我們這班要培養出來的氣氛，因此，如果同學有什麼不錯的表現，應該讓那個同學知道。你可以告訴那個同學說：「做得好」，也可以為他鼓掌喝采。怎麼做不重要，重要的是你盡力表現你為同學的好表現感到高興。

然後我列舉適合的鼓掌好時機。也許是有同學發言內容很棒的時候，考試得高分，或者寫了一篇傑出的作文。此外，如果同學考試分數沒那麼高，但卻大有進步，全班仍應該鼓掌。接著我們做了幾次情境演練，並練習鼓掌。沒錯，就是練習鼓掌。要鼓掌就不可以只鼓一半。所有學生的鼓掌方式都必須展現尊重與欣賞。還沒教學生如何鼓掌之前，我先要一半同學鼓掌看看，四

分之一的學生只是兩掌剛好碰到，其他學生好像是在別的星球。經過詳細的指導，他們才都進入狀況。

有時候，同學的發言或表現未必值得鼓掌，但還是有同學鼓起掌來。這種狀況的規則是，只要有學生開始鼓掌，大家就都開始鼓掌。最早鼓掌的學生顯然是看到什麼他們所欣賞的。就算全班是為一種不那麼值得的事情鼓掌，也強過零零星星愛鼓不鼓的掌聲。

一班有三十七名學生的老師，是不可能把所有學生應得的注意與稱讚都給學生。但要全班學生不斷注意彼此的好表現，就容易得多。孩子當然都很重視老師給予的肯定，但來自同學的稱讚卻力量更大。

到過我教室的老師看到我張貼學生的分數，總是有意見。這種做法在美國似乎有違常態，因為大家都認為老師應該將學生的成績保密，以顧及學生的感受。我卻發現，只要氣氛對，公布成績與全班分享會是一個很正面的經驗。首先，我並不是公布所有成績，那是不可能的。我挑選的，是所有學生只要努力，就可以持續進步的測驗成績。其次，作業的類型最好是可以持續追蹤一

段時間。譬如，每晚我都指定學生要讀一篇文章當作作業。隔天早晨，針對指定的文章，他們接受十道選擇題的閱讀測驗。我可以花不到五分鐘就打好分數，在同一天就發回測驗卷。我一邊把測驗卷發回，一邊把分數登記在一張表上，這張表在整個學期都會張貼出來。我把登記分數當做一場大戲。每個學生我都先唱名，暫停數秒，在大聲喊出分數。如果是一百分，我就使盡吃奶的力氣喊。全班歡呼，這位同學的整個臉都散發光彩，快樂的不得了。九十分也獲得掌聲，八十分也有，有時連七十分也會獲得掌聲，只要學生的成績有進步。同學們都喜歡這樣，整天都非常期待。

　　在這種氣氛之下教書的感覺很棒，到處充滿樂趣。我覺得人們應該在所有的課堂和職業場所營造出這種氣氛。

★ 超基本 4

課堂上進行討論時，要尊重別的學生的看法和意見。盡可能這麼說：「我同意約翰的說法，而且我還覺得……」或是「我不同意莎拉的看法。她的觀點很好，可是我認為……」或是「我認為維克多的看法很棒，他的話讓我想到……」

　　我覺得這一條班規應該要用在各種場合的大小會議，以及所有的家庭聚餐。我們太常忽視別人的看法，所以就培養不出讓大家都暢所欲言的氣氛。我們大家都常常擔心，說出自己想法的話別人會怎麼想，擔心別人會嘲笑我們、看不起我們。我想像世界上每天一定都有好幾百個會議，最棒的想法明明有人說出，卻沒人聽

見，不然就是連說都沒說出來，雖然有人想到。

我不希望我的教室成為那種環境，因此我與孩子們發展出一種制度，來營造互相扶持、又不拘束的氣氛。我想要的課堂不只是能夠讓學生表達意見，還要讓學生的思考與想法能夠發展成一場討論，大家都能欣賞彼此的想法。要實現這樣的理想，我發現有必要一步步教導學生以尊重的方式說出自己同意或不同意別人的發言。

我告訴學生的第一件事，就是絕對不可以嘲笑別人的發言。班上每一位同學都可以為討論增色，為了要讓我們班上的討論盡量精彩，大家就必須聆聽每一位同學的意見與想法。我說，大家可以有不同的意見；我們是人，本來就不可能每一件事都與每一個人看法相同。但我指出，表達感受有正確和不正確的方法。我們每個人都不同，有不同的天賦、不同的經驗，走過不同的道路。你的鄰居建立其想法的所有基礎，你無從得知。因此我們應該要欣賞別人的發言，而不要以為你自己高人一等，或者讓說話的人覺得自己的想法不對。

我們練習了許多次，對許多學生來說，這彷彿是他

們第一次聆聽別人的發言，第一次發現到別人說話內容的價值。我可以拼命地告訴學生，我多麼欣賞他們說的話，欣賞他們所發表的聰明看法，但這樣對孩子自尊和信心的鼓舞絕對比不上一位同學轉頭去對他說：「哇，你的想法很棒！我都沒想到過。」聽到母親的讚美也會產生飄飄然感覺，可是肯定與讚美如果是來自我們的夥伴時，對我們的意義往往更大。

我到紐約市哈林區教了數個月之後，就發覺到我帶的學生已經有所改變，別人也都察覺到學生氣質的明顯變化。來學校觀摩教學的人總會說，學生怎麼這麼有禮貌，這麼相扶相持。他們都很訝異，怎麼我們班的學生會這麼樂於討論彼此的想法，這麼互相欣賞所有的看法與意見。我自己是從幾個方面直接注意到這種改變。我記得當我剛開始到哈林區教書時，我就要學生教我雙人舞雙繩的花式跳繩（double-Dutch）。他們最初不太情願，我在學跳時，他們既不指點我，也不讓我多試幾遍。他們只讓我跳兩次，我就要去後面重新排隊。

我注意到，如果你跳繩很厲害，同學就都會覺得你

很了不起；跳繩是重要的身份象徵。我知道，如果我會跳繩，我在孩子的心目中就會加分。我一試再試，可是每天他們只是嘲笑我。他們似乎連這個機會都不想給我，因為他們知道學跳繩相當花時間，我永遠都學不會的。可是，我每天在操場上，一次一次的學著跳。繩子常常打到我的臉，我跳過來跳過去的樣子也很笨拙。學生總說我跳繩的樣子就像一匹蹬蹬跳的馬。終於，好幾個月後，我開始留意到孩子們的改變。他們不只在課堂上變得更互助，在教室外面也變得更友愛，更懂得關懷。我學跳繩學了三個月，我已打算放棄。有繩子擊中我的前額，我都流血了。克拉克老師學跳繩的日子結束了，孩子卻圍著我，跟我說他們相信我會成功。他們開始慢慢旋轉繩子，給我建議，給我加油。一位女生說：「克拉克老師，首先你必須停止像馬兒那樣跳。要像這樣跳。」每個孩子都想把他自己的技巧傳授給我，都很關心我能不能學會雙繩跳。有一天，我跳進旋轉的雙繩之間，預期繩子會如往常一樣打中我的臉，可是狀況發生了。我會跳了！我竟然成功的在雙繩中間跳跳跳，而且

我一成功跳進去，就一直在裡面跳！我跳了有整整三十秒的時間，邊跳邊尖叫：「我會了！我會了！」所有在操場上的孩子都跑過來看，並開始歡呼：「克拉克老師加油！克拉克老師加油！」孩子都和我一樣興奮，經過這件事情，我們師生的關係就大大改善。

如果我上課上到困難的部份，孩子覺得怎麼學也學不會，我就會說：「聽我說！想想看，我以前也覺得我一定學不會雙繩跳，可是你們都相信我，支持我，我就辦到了。現在你們認為自己一定學不會這項作業，可是我相信你們，而且我在這裡告訴你們，我對你們的能力有信心，知道你們一定辦得到。」這麼說總會讓孩子開竅。他們常常告訴別人：「當我們需要克拉克老師時，他支持我們，當他需要我們時，我們支持他，因為他有時真的需要我們，我們也教他學東西。」創造這種人人互相支持並公開表示欣賞的環境，會使課堂上或任何團隊整個脫胎換骨，變得很不一樣。

★ 超基本 5

贏得任何比賽，或有任何好表現，都不可以
炫耀。如果輸了，也不要顯露生氣的模樣。
你可以這樣說：「參加剛剛這場比賽真是愉
快，希望將來還能和你較較高下。」要不然
就說：「是很不錯的一場比賽。」不然就什
麼都別說。生氣或說話酸溜溜，說什麼「我
剛剛又沒盡全力，你真的沒那麼好」之類
的，只是表示你很遜而已。

如果你在某方面很有一手，別人自然會注意到。沒
必要告訴別人你多有才華，因為吹噓只會讓別人對你印
象不佳，大家就不會關心你有什麼本事了。顯然，許多
人都搞不懂這一點，因為我們的文化似乎很講求展示個
人成就與能力。過去我曾經很迷某個影、視、饒舌三棲

明星。我認為他極有才華,很喜歡他的作品。可是最近每次我看他上電視或在雜誌上讀到他的報導,他都是目中無人的模樣,總說自己是當今全世界最偉大的藝人,諸如此類的,真的令我很失望。我都不願再花錢欣賞他的任何表演了。可惜的是,全世界都知道他很有才華。他實在沒必要自吹自擂。

我不希望這種狀況發生在我的學生身上,不管是小技能還是大本領,我都不希望學生吹噓。我希望所有的同學都既自信,又謙虛。在北卡羅萊納州教書的時候,每年我都會帶學生去參加籃球聯賽。球季結束,學生都會票選出「最有價值的球員」。有一個名叫德瑞蒙的男生球技超棒,可是他卻覺得有必要定期提醒大家他有多棒。他總是選不上「最有價值的球員」,每次他都很憤怒。這個獎總是頒給那些比較謙虛、比較珍惜團隊的球員。

我告訴學生,有時不想談自己的能力真的很難,可是如果他們能夠做到,由別人自己去發現他們的才能,這樣他們的才能反而會顯得更了不起。德瑞蒙不需要告

訴每一個人他籃球打得有多好，因為大家都看得到。他應該只要用心打球，讓他的表現說明一切。這就是我想要教會學生的。

我也教學生在輸給別人時，要怎麼保持風度。我最生氣的，就是有人輸了比賽，卻說：「我又沒盡全力」或者「是我讓你贏的」。

我的父親隆尼跟人家比賽什麼都很厲害。他會擲飛鏢、打撞球、擲蹄鐵、玩撲克牌。可是偶而他也會運氣不好，輸給我。當然，這不常發生，可是確曾有過。我總是盡全力和他比，可是每次我獲勝，他總是說這類的話：「那次我對你是隨便玩玩，」或者「我當然是沒盡全力囉。」以前我會氣得抓狂！經過幾番抓狂後，我家和我的課堂如今都訂了一條規定：將來不論比賽什麼，一定都要全力以赴，而且絕對不可以為輸掉找任何藉口。情況從此就好多了，比賽也變得更有趣也更輕鬆。現在已經幾乎是誰輸誰贏都不重要了，因為不論比賽最後結果如何，我們知道大家都有盡全力，我們也欣賞彼此的努力。

超基本 6

如果有人問你一個問題，你應該也回問他一個問題。如果有人問：「你這個週末愉快嗎？」你不只應該回答愉不愉快，還要回問他。舉例來說：

我：「你這個週末愉快嗎？」

你：「很愉快，我和家人去逛街買東西。你呢？你這個週末愉快嗎？」

讓別人知道，你就跟他關心你一樣地關心他，這是基本的禮貌。

這是需要花點時間才能學會的技巧。事實上，我遇到的許多大人都辦不到，許多人可能一輩子都無法養成

這種習慣。我告訴學生，和別人交談時，應該確定自己不是在獨佔整個談話。我們都碰到過說話滔滔不絕、停不下來的人，我不希望我的學生有誰長大後變成那樣。我希望學生了解，當你在請教別人的想法和意見時，你會更可愛，而且顯得更謙和。這條班規只是一個簡單的方法，讓人知道你有興趣了解他的人，也有興趣聽他說的話。

當學生們走進教室，我通常會說：「泰瑞，早，週末過得怎樣？」泰瑞答：「我週末過得很好，我和表兄妹一起到海邊玩。」如果答完就直接跑去座位，我一定會把泰瑞叫回來，說：「嘿，我剛剛對你這個週末過得如何表示關心，你對我卻沒表現出同樣的親切，只顧跑回座位去。我們重來一遍！泰瑞，週末過得怎樣？」這次泰瑞就會回答：「我週末過得很好，我和表兄妹一起到海邊玩。克拉克老師呢，週末過得怎樣？」孩子需要許多的練習，可是結果是值得的。

發問也是接受面試時可加以利用的一個技巧。曼哈頓東城中學(Manhattan East)是紐約市要求最嚴的公立初

中，我在哈林區的學生去參加入學面試時，面試老師問他們最喜歡的作家有哪些。我的許多學生告訴我，他們在回答出心目中最喜歡的作家之後都會反問面試老師：「有什麼作家的作品是老師您特別有興趣讀的嗎？」會回問這種問題，顯示出孩子的心智比別的小孩更成熟，注意到對方也有閱讀等方面的興趣。這條班規不只適用於面試，也適用任何對話。

這條班規是讓別人知道你關心他，只要你能做到，就會感受到效果。我剛開始在北卡羅萊納州的史諾登小學教書時，我一定要花時間和學生聊聊他們的興趣。我問他們喜歡什麼，不喜歡什麼，有哪些娛樂活動。我希望學生知道我想要了解他們，我不只是教書本上的知識而已。

我記得我第一年教書時，有一個名叫傑森的學生週末要在爺爺奶奶的拖車式活動房屋（編註：trailer，美國常見的低收入戶居住型式）辦一個生日派對。傑森邀請我參加，別的老師也幾乎都有收到邀請，可是我問了一下，發現沒有其他老師要參加。但是我告訴傑森，我會

到場，然後孩子們就每五分鐘問我一次我是否真的要去。那個週六，他們一定都沒想到我會真的出現，即使我有一直說會去會去。當我到場，他們蜂擁而上把我圍起來，彷彿我是個名人。我們玩了一二三木頭人和捉迷藏，玩得很開心。一天下來，我和學生的關係拉近了許多，他們從此對我更加信任。再來的星期一，我要求孩子守規矩並注意聽講，他們的眼神都和從前不一樣了。他們對我有了敬意，聽課專心起來。要對別人表現關心有許多方法，像積極的聆聽，與人對話時不要只顧著自己，不時的體貼表現。但無論如何，你的關懷一定要讓對方真正地感受到。

★ 超基本 **7**

咳嗽、打噴嚏、打嗝時，得體的做法是別過頭去，並用整個手掌掩口。不要手握拳。然後你應該說聲：「對不起。」

這條看似十分簡單，奇怪的是，有許多學生不知道應該這麼做。我還注意到，也常有大人在公開場合咳嗽打噴嚏沒掩嘴。我最討厭在感冒流行的季節搭紐約地鐵，因為後面一定會有人對著我的脖子咳嗽和打噴嚏。有一次我看到一位女士打噴嚏，噴到旁邊的一個較矮的女士，畫面就像一支慢動作廣告片，飛沫就在苦主的頭臉周圍形成一團雲霧，從上籠罩下來，當時我心想：「天可憐見，可憐的她一定也會感冒了。」

我還告訴孩子一件重要的事，打完噴嚏或咳完嗽，

弄髒手之後，一定要立刻洗手。不然，病原一定會隨著髒手接觸過的每一件東西和每一個人傳播出去。

為了幫孩子記住，我說了一個古老的迷信：打噴嚏時邪靈會趁機跳進你的身體，如果你不掩口，邪靈會侵入，可是如果你掩口，邪靈就不得其門而入。有人打噴嚏時，美國人說「上帝保佑你(God bless you)」，德國人說，「葛松海(Gesundheit)」，意思就是「祝你健康」，都表示如果你不遮嘴，邪靈就能侵入身體。這些平常話的起源，孩子都很喜歡知道，知道了他們就會更常實行這項忠告。

超基本 8

不要用呭嘴、翻白眼等類似動作表示輕蔑。

　　遵守這條班規可以省去許多時間與麻煩。我不信有誰不曾碰過別人對著他呭嘴或翻白眼。孩子很愛做這些動作，尤其是青少年。這些動作已經在我的教室裡絕跡，因為我曾經好好解釋這些動作的涵意，而且明定不能在教室出現這些動作。每學年的開學第一天，我就問班上是否有誰很會呭嘴。我通常找幾個志願的學生到前面示範。然後也有學生到前面表演翻白眼。接著全班把兩個動作二合一，一起呭嘴翻白眼，大家都會覺得真好玩。然後總會有幾個高段學生，以一流技巧表演扭脖子、把手指關節按得嗶剝響。 我向學生解說，這些都是表達輕蔑的方式，有時候要惹麻煩，根本不必開口說

話。

　經過討論，我們玩起角色扮演的遊戲。我告訴一個學生說，我要斥責她不專心聽講，被我斥責完她就要咂嘴和翻白眼。我告訴她，接著我會要她把名字寫到黑板上。我們做完這個練習，大家都懂為什麼她的名字會寫在黑板上。

　練習過後的結果相當不錯。一週後我注意有同學咂嘴和翻白眼，我要他把名字寫到黑板上，我沒聽到任何爭辯。通常，老師要處罰學生咂嘴，只會火上加油。咂嘴的聲響會更大，教室中別的學生會開始扭脖子，整個教室就像著了魔。我讓學生知道，班上連最細微的咂嘴和翻白眼都會受罰，而且我堅守到底。

　我在哈林區教書時，有個名叫夏米莎的女生就有「咂嘴病」。要她把名字寫到黑板上，不論是犯什麼錯，她都會咂一下嘴。就像是不經意，她自己甚至沒有意識到。我會說：「好吧，現在再加一個申誡。」才說完她又會再咂一下嘴。她會一直咂下去，到被罰留校輔導為止，可是即使留校輔導，她也不會生氣，因為她知道她

違反班規，她知道不應該。

我教書第一年，教過一個名叫安托茵的小女生，是個小辣椒。她梳雞冠頭，雙眼大如核桃。她是班上最矮的女生，可是她的模樣很有氣勢，同學都不敢惹她，可能連有些老師都怕她。她真的很難管教，她的註冊商標就是哐嘴和翻白眼。我當時對管教孩子沒有什麼經驗，所以當她對著我哐嘴和翻白眼時，我做了我能想到的唯一動作：一隻手把我所有的頭髮聚攏到頭頂，像魚一般把雙唇吸進嘴，對著她我也翻起白眼。那可能不是最好的處理方式，可是安托茵卻看傻了眼，我這一招果然管用。她震驚地看著我一分鐘，然後我笑了起來，她也笑了起來，接著我們都哈哈大笑。在面對安托茵這種孩子時，有時需要用一些不尋常的動作來吸引他們的注意，讓他們守規矩。不知道為什麼，我的模仿竟然奏效，她從此沒再對我哐過嘴。我猜她知道，如果她再哐嘴，我會以牙還牙。

雖然這一招對安托茵奏效，顯然這不是最好的處理方式。一定要讓孩子知道我們對他的行為和態度有什麼

期待，讓他打心底明白什麼樣的行為會產生什麼樣的後
果，才是避免不好行為的最好辦法。

超基本 9

> 每次我送你什麼獎品，你一定要說謝謝。如
> 果你在收到獎品三秒之內沒有說謝謝，我會
> 把送給你的東西收回來。因為不表示感謝是
> 沒有藉口可以通融的。

依我看，這條班規很重要。為了這條班規，我從忘
記說謝謝的學生收回東西的次數已經多到數不清。有時
我會發作業優等獎，或是在午餐時間請吃餅乾，在學年
剛開始時，忘記說謝謝的學生總是會對接下來發生的事
感到訝異。我馬上把東西收回，他們以為我只是開玩
笑，認為我過幾秒就會再給他們一次機會。根本沒有再
一次機會。規則要有效，就必須貫徹，雖然有時會很困
難。有一次，有一名女生和另外四個孩子因為在社會科

考滿分，獲得一套書。女生興奮得蹦蹦跳。其他同學很快就說她怎麼沒說謝謝，我只好把書拿回來。這令我心碎，可是一旦訂了這條班規，我就不能破例，必須執行到底。孩子都了解，我必須收回獎品時，他們也很少抱怨。他們知道這是規定，我從訂班規的第一天就已經講很清楚了。

　　我最近和北卡州一位教高三的老師聊天。她過來跟我說，她早就想認識我。她說，她常常會請班上學生吃東西或給獎品，班上有一群男生一定都會說謝謝。有一天，她誇獎男生好有禮貌，他們告訴她，是教他們小五的老師把他們千錘百鍊出來的。她說有個男生記得，小學五年級時有一天，他贏得一根棒棒糖，可是在他把糖放進嘴裡之前，克拉克老師就把糖拿走了，因為他沒有說謝謝。男生說，克拉克老師立刻就把棒棒糖放進自己嘴裡，笑咪咪走回去上課。那一幕深深印在男生的腦海中，他發誓永遠都不會再忘記說謝謝。

　　在日常生活中，不論我和誰互動，我一定設法謝謝他們，不論是櫃台小姐、女服務生、幫我開門的人、幫

我忙的朋友或者為我做事的任何人，不管事情的大小。我在哈林區任教的學校，值夜班的工友有時會擦洗我們的教室，當我走進煥然一新的教室總是充滿驚喜。我有幾次特別感謝他打掃得這麼乾淨。他似乎總是對我謝謝他做好份內工作感到訝異。但是我可以斷定他重視我的感謝，而且我開始注意到，我的教室被擦洗清潔的次數變得更頻繁了。

我在紐約市搭地鐵上班時，每個星期一的早晨都必須排隊排很久，買地鐵週票。賣票小姐總像才吞下一顆檸檬一樣愁眉苦臉，我痛恨在每個星期一的開始就必須和她打交道。她從來不和任何人說話，只是擺張臭臉、收錢，把票推到客人面前。我決定要讓她和顏悅色的對待我。每個星期一，我都對她說「早安」，都沒獲得回應。結束時我說「謝謝」，也沒有回應。即使我心裡在想：「你知道你是世界上最沒禮貌的人嗎？」我還是繼續說早安和謝謝。持續幾個星期後，有一天當我說「謝謝」時，她答：「不客氣。」我幾乎摔倒在地。下一個排隊的人已經走近窗口，可是我又衝回去問說：「你剛

剛說什麼？」她露出震驚的表情說：「不客氣，」還對我笑了笑。從那時開始，我星期一的搭地鐵經驗就變愉快了……星期一早晨搭地鐵，愉快？當然只能盡其在我囉。

★超基本 *10*

有人送你東西時，絕對不要嫌棄禮物，也不
要暗示你不領情，侮辱送禮的人。

　　有一個月我帶班上所有語文測驗名列前茅的學生去
看一場夏洛特黃蜂隊的職業籃球賽。他們可以在飯店住
一晚，與球員見面，觀賽時好好瘋一下。下一個月，語
文測驗名列前茅的的獎勵是到附近的保齡球館一遊。兩
種獎勵當然差很多，學生絕對不會沒注意到。他們直接
說差太多了，令我很難過。大多數老師根本不帶學生出
去，我的學生到保齡球館玩居然還嫌。為了教訓他們，
我乾脆取消保齡球館之旅，不給任何獎勵。取消獎勵可
能看似嚴厲，卻是讓不領情的學生了解我一番苦心的有
效方式，我也希望他們永遠記住這次受罰的原因。

　　送禮給人而收禮者不領情，是很惱人的。我的小外甥奧斯汀就有恃寵而驕的問題。我的妹妹和妹婿從烏克蘭收養他，四歲時他剛到美國，對什麼都懷著感激之情。收到一份禮物，一定小心拆開包裝紙，把包裝紙折好放在旁邊，才溫柔的打開盒子，看看裡面是什麼禮物。他的臉上總是散發光彩，不論盒裡裝了什麼，襪子、書、襯衫，隨便什麼，他都會拿起來擁抱一番。現在他來美國已超過一年，人就變得大不相同。我常常送他禮物，最近常是送衣服。現在他打開禮物，是瘋狂撕開包裝（這點我不怪他，撕包裝是有趣的部份），可是當他看到禮物是衣服時，常皺著眉頭說：「唉，隆舅舅！」彷彿我應該要更會選禮物似的，不該買這麼無聊的東西。我猜所有的小孩都有過那種失望感覺，可是無論是誰送他們禮物或獎品，基於對人的尊重，必須教導他們不可以有那種行為。我現在正在教奧斯汀這個規矩，可是以他現在的年紀，還要一些練習。不過最近幾次我送他衣服，他的回答已經變成：「隆舅舅，我真的很喜歡。」他正在學習當中。

★ 超基本 *11*

隨時為別人做一些小小的貼心服務，帶給別人一個小驚喜，至少一個月一次。

孩子都喜愛這條班規，聽起來真是個好點子，又好玩。問題是，這條班規其實很難遵守。我們每天生活排得滿滿的，根本沒時間坐下來好好想我們可以給人什麼驚喜。通常，如果不是生日或特別的日子，大家真的認為沒必要刻意為別人做什麼。可是我認為，給人驚喜的最好時機，就是意想不到的時候。這樣，對方就知道你並不是出於責任，而是因為你真的想對人好。

我說的這類驚喜不只是送一份小禮物。驚喜必須是經過慎重考慮而且意義深遠。譬如，花時間做一頓午餐，有沙拉、主菜和甜點，在你的工作場所找個房間把

你做的午餐擺出來，要擺得漂漂亮亮。桌上插一瓶鮮花，播放柔和的背景音樂。然後邀請工友過來休息一下，享受你為他們準備的午餐。或者當你的鄰居去上班時，幫他們除草並修剪樹籬。我告訴我的學生，他們可以主動把整個房間打掃整理乾淨，幫全家吸塵，洗盤子。他們可以幫年邁的鄰居跑腿或唸書給他們聽，也可以送人鮮花。這些機會俯拾即是。

我想要帶給別人驚喜，是因為我爸媽經常給我和姐姐驚喜。我記得，他們總是精心規劃，給我們一些意外之喜，讓我覺得自己很特別，受到很多關愛。我小時候就許願，等我長大，我一定也要為週遭的人做類似的事。後來我當了老師，每個月總要花數百美元為學生買書和獎品。那樣的小小驚喜就讓孩子充滿感激。可是後來發生了一件事，我們的一項作業竟然帶來我人生的最大驚喜，永遠改變了我和我學生的人生。

事情從一堂有關報紙的課開始，學生不懂分類廣告如何發揮作用。我決定讓他們自己在報紙上登廣告，好讓他們直接看到整個運作流程。我要每個孩子帶五分錢

硬幣 (編註：約新台幣兩塊錢) 當作登廣告的經費，因為
我想要他們擁有廣告主的身份。然後我指導他們構思要
刊登的廣告內容。他們立刻想到在汽車銷售版登一則出
售凌志（Lexus）汽車的廣告，我卻必須提醒同學：「我
們沒有凌志汽車！」最後，我們決定在報紙上刊登一則
地理學的謎題，要求讀者把答案寫出來，回信給我們。
我們的第一道謎題寫著：「世界上最大的島是哪一個？
如果你知道，請回信到本班。」我們附上地址，並熱切
等待回音。讓我們驚訝的是，我們收到附近地區不同人
寄來的十封信。孩子樂壞了，因為沒有人答對。他們開
始回信給每一個人，寫上正確答案「格陵蘭」。

孩子因為收到來信而雀躍不已，我們決定在北卡羅
萊納州的報紙加刊謎題。這個作業變得不像是了解分類
廣告，變成比較像是讓學生了解寄信來的人。為了獲得
更多回應，我們拿著布條在路上走，布條上畫著題目並
要求大家把答案寄到我們學校。我們在附近的超市發傳
單，甚至還上去廣播節目出謎題。不久，我們一天收到
數十封信，寄信人有北卡州的各行各業，有醫生、律

師、專門豢養阿拉伯馬的牧場主人。我的學生住在人口只有六百的小鎮，正以這種方式學習小鎮以外的世界。整個過程對生活圈圈很小的孩子來說，是很重要的。

孩子都十分喜歡這個計畫，有一天一個名叫路克的男生說：「我說啊克拉克老師，我在想，我們應該迎向全世界。」他的意思是，我們應該在一家全世界流通的報紙刊登一道謎題。我覺得點子不錯，所以我決定讓路克到辦公室，打電話給《今日美國報》(USA Today)，詢問登一則四乘五英寸的廣告要多少錢。原來，每當我打電話到學生家，學生講電話又禮貌不佳時，我總覺得很惱，所以我一有機會就請學生代我打電話。我確定路克明白我要他從電話中問到什麼資料。然後我和他在其他學生面前演練一遍，才派他去打這通電話。等到路克回來，他雙手插腰，正經八百的用他低沈的美國南方腔調說：「克拉克老師，你最好坐下來。」他告訴我，要花一萬二千美元。我起初不相信，我得在放學後親自打電話求證。果然，路克說得沒錯，小小一個廣告只登一天，就要如此天價，真是不可思議。

　　和全班多番討論後，我向他們解釋，我們不可能籌到這麼多的錢。可是孩子不願輕易放棄。他們懇求我讓他們試試看，不久我們開始募款。我告訴他們，他們有興趣的籌款方式我都願意：賣蛋糕、賣糖果，但就是不能要我洗車，因為我最痛恨洗車。果然，那個星期六，我們就洗車籌款。

　　數週後，我們的創意賺錢大計並沒有很大的進展，這時我接到《今日美國報》一位編輯打來的電話。編輯巴拉洛托女士告訴我，有人在電視上看到我們班學生想辦法籌款的消息，這人願意捐贈登廣告所需要的一萬二千美元。我立刻問她這位善心人士的姓名，她告訴我，這位善心人士只想讓人稱呼他「聖誕老人」。當時是耶誕節前三週，所以說這位慷慨人士是「聖誕老人」似乎正恰當。我匆匆跑到班上通知學生，說已經有人捐款贊助我們登廣告。全班像發了瘋般歡呼，然後就問：「是誰給我們這筆錢？」我笑著回答：「聖誕老人。」路克狐疑地看著我說：「克拉克老師，我爸媽可拿不出那種錢。」

　我們終於決定刊登下列廣告：

柯林頓總統和全世界的人請注意

什麼東西每年奪走的人命比愛滋病、酗酒、車禍、

謀殺、自殺、禁藥和火災加起來奪走的人命還要

多？

　事實上這是學生自創的廣告，我卻有點擔心，因為
我們北卡州正是美國的菸草生產大州。我可不想滋生任
何事端。我向學生提到這一點，一個名叫卡蜜拉的女生
說：「克拉克老師，我們州是菸草生產大州，並不表示
我們不能有自己的意見。」她說得有道理。

　我們在廣告裡附上地址與傳真號碼，焦急的等待回
應。遺憾的是，我們是鄉下小學，當時沒有電子郵件，
所以沒有附上e-mail address。

　廣告見報的當天，我買不到報紙，因為《今日美國
報》沒有送到我們這個鄉下地方。可是我們充分感受到
廣告的效果，因為我還沒抵達學校，我們就已經收到上
百封傳真。當我把車開進學校的停車場時，一位斯文的

瓊絲老師就在停車場又跳又叫：「克拉克老師，快到辦公室！下車下車，我幫你停車！」我跑進辦公室時，我拿起來看的第一封傳真是來自加拿大總理，也有傳真是來自電視影集《六人行》演員、球隊、印度孟買的醫生，以及你所能想像的世界各個角落形形色色的人士。

學生到校時，我們佔據了辦公室！美國好多地方的電台節目都唸出我們的廣告，並請聽眾call-in到節目中說出答案。然後電台就打電話到我們學校查詢正確答案，同學在三條不同的線上回答數千名聽眾的詢問。我讓孩子在學校走廊接受電視記者訪問，傳真不停地從世界各地傳進來，學生興奮的快把屋頂掀翻了！學校的這一天終於結束，我們知道傳真機將徹夜不停地收到傳真，如果沒人補充傳真紙，將漏失許多回音。因此當晚我必須留在學校的辦公室裡。傳真整夜不停的傳進來。大約凌晨三點，我收到一封傳真說：「克拉克老師，打電話給我們！」並附上電話號碼。我打電話過去，那是一家賭場，它出了這道題，接受賭客就答案下注。他們打電話給我，確認正確答案，好付彩金給贏家。真是瘋狂！

這樣子去了解形形色色不同的人，知道他們對這問題的答案，真的很好玩。比較常見或比較好玩的答案有：飢餓、槍枝、跌進浴缸、○○七情報員、相思病、心臟病、墮胎、老年、懸疑、無知、五年級、口舌、指甲的肉刺、謎題。

我們最後收到來自世界各地超過七千封信和包裹。我們在廣告中已經承諾會回覆每封信，所以學生必須在週六和假日和放學後聚在一起，回覆每一封信，讓每一個人知道正確答案是抽菸。

學生成為小鎮的名人，全國性的新聞節目與北卡州的報紙頭版都專題報導我們這一班。這個作業實在很刺激，孩子開始得意洋洋，每天都心滿意足的上學。

我們忙著回信，忙著接受媒體採訪，把校務辦公室變成臨時總部，一週後，終於收到我們一直在等待的回音。白宮打電話來說，總統夫人希拉蕊將在星期五上午十一點四十五分打電話來告訴我們總統夫婦的答案，並與學生討論吸菸的危害。我們全都興高采烈，趕緊安排在星期五舉行一場記者會，好讓全鎮可以躬逢其盛。

我們全都坐在圖書館裡，有地方政界要人、企業老闆、家人和朋友，這時你可以感覺到空氣中的興奮和社區的認同感。我們都買了新衣服，學生都以正式服裝出席，展現最好的一面。班上學生和我的座位安排在圖書館最前方的桌子，數十架攝影機和媒體人離我們的臉只有數呎的距離。我看著時鐘，十一點四十三分，再看一次，十一點四十四分。我心想：「萬一希拉蕊沒打來會怎麼樣？」想著想著，然後電話鈴就響了。

圖書館本來就應該是安安靜靜的，卻從來沒有這麼安靜過。我們全都屏氣凝神，仔細聽電話裡的每句話，這通電話原本應該是十五分鐘長度，後來卻延長到四十五分鐘。總統夫人和每個孩子一一講話，並討論我們那道題所引伸出的健康議題。到了結尾，總統夫人說：「你知道，我手中拿著總統和我寫給你們班的信，信中有我們的答案，我們可以用寄的，可是我更想親自交給你們。」然後我做了一項宣布，嚇了每個人一跳。我已經和白宮商議了整個禮拜，我們已經安排好，學生要在接下來的禮拜前往白宮，會晤第一家庭。這將是改變這些

學生一生的大事，因為他們大部份甚至沒有踏出我們北卡州一步。當我們剛獲悉白宮的邀約時，校長要我在取得所有學生的旅費之前不要宣揚白宮之行。我們知道這將花很大的工夫。學校的一位秘書奧斯汀太太和我立刻開始打電話給想到的每個公司行號募款。我很快發現，不管我打給誰，他們都樂於幫助孩子，並願意盡力幫忙。我發現不管我在哪裡教書，都是如此。社區總是樂意幫助老師，只要你認真，而且可以提出充份的理由說明捐款能發揮的功用。

　　幸運的是，不到幾天我們就從地方上的企業界籌到整趟旅程需要的費用，他們全都同意保密，等到記者會上再宣布。總統夫人電話的結尾，我回答她的白宮邀約時，再也無法壓抑眼中的淚水，我說：「孩子們，你們看看身邊我們鎮上的商界領袖，他們已經大發善心捐款給我們班，下週我們全都要去華府！！」圖書館響起熱烈掌聲，我哭了，學生和他們的父母哭了，電視第九台的記者哈里斯女士也哭了。帶給學生和社區這個驚喜是我人生最了不起的時刻之一。我會一直教書教下去，就

是為了學生臉上的喜悅、興奮和感激。我怎麼能放棄這種影響孩子一生的機會呢？

宣布的興奮平緩後，我開始籌備這次旅行。我預期會很累人，可是我一開始打電話、訂好飯店房間並簡單擬定行程，一切似乎就搞定。這麼大的一件事確實要花力氣，可是我只是依靠我身邊信賴的人的建議，並確定我照顧到每一個可能的細節。

接下來這週，我們前往華府，地方報紙的記者隨行。我們參觀了國家交響樂團、國會山莊和所有主要的博物館。我們在華府的最後一天去參觀了白宮。一位導遊特別帶我們參觀，我們是當時僅有的參觀來賓。 我們獲准自由走動、拍照，就像在自己家一樣不受拘束。洗手間尤其難忘，因為每張衛生紙上都印著白宮的影像。我們離開時，瓊絲老師說：「我好想拿一捲衛生紙回去做紀念喔。」隨行家長之一的法羅先生笑著從手提包拿出一捲。

我們參觀完畢被帶往白宮東廂，那裡有一棵燈光璀璨的巨大聖誕樹。最後，柯林頓總統伉儷走進來，開始

和孩子交談。柯林頓總統向學生說：「今晚是平安夜。」
我們一起唱了聖誕歌曲。唱完，總統居然跪在地板上和
每個孩子談話，夫人則和大人聊。她走來我這邊時說：
「喔，克拉克老師，我從報紙上認識你。」我答說：
「喔，總統夫人，我從電視上認識你。」

　　孩子和我回到北卡州時，他們仍不想結束這個計
畫。為了持續久一點，我們寫了一本關於這整個計畫的
書，叫做《透過別人的文字環遊世界》（An Adventure
Around the World Through the Words of Others）。學生在這
個計畫中放入了許多的感情，也留下好多回憶，我何其
幸運，能夠整理這些感受，並用文字保存下來。我知道
二十年後，學生會讀這本書給他們的小孩聽，讓這些感
情再發光發熱。

　　這是一輩子一次的經驗，可是我實在幸運，到紐約
市哈林區教書後，又和學生有過類似的經驗。每年迪士
尼公司都會主辦「美國教師獎」（the American Teacher
Awards）。我到紐約市的第二年，就發現我是「全美最佳
教師獎」入圍者，要在十一月飛洛杉磯參加頒獎典禮。

我告訴迪士尼的人說，我真的想帶班上學生同行。他們說，迪士尼無法補助學生的旅費，可是如果我可以自己籌到錢，他們會熱誠歡迎我帶學生前往。

我不想讓學生期望過高，所以我沒有告訴他們我正在籌錢。我在紐約市各企業間奔走，寫超過一百封信給企業主。家長和副校長卡斯提洛女士打了好幾天的電話，幫我募款。拜他們的努力與不辭辛勞，小額捐款開始陸續進來。然後有一天，我接到一位學生的母親瓦茲奎茲太太的電話，她說，她工作的律師事務所「莫里森和佛斯特」被我想帶所有學生同行的熱誠所感動，他們願意捐助剩下的一萬六千美元，讓大家成行。我激動得發抖！我立刻集合我的所有學生與家長晚上在禮堂開會。我告訴他們，已經籌到足夠的錢可以帶一些學生同行，我們將把所有學生的名字放在魚缸裡，從中抽出三位幸運的學生。我對大家說：「你們知道，我下個月要到洛杉磯，而你們一直都很出色，都很支持我。我想要你們知道，我飛洛杉磯不會獨自一人。我們已經收到足夠的捐款，所以我將帶幾個很特別的學生同行，今晚聚

在這裡就是要決定人選。我已經把你們大家的名字放進這個魚缸。」我把手伸進魚缸，開始攪動，你可以看到所有學生臉上的期待。攪夠了我才停下來說：「可是，我根本就沒必要抽籤，因為孩子們，我們已經籌到足夠的錢，下個月我們全部都要到洛杉磯！！」

這是扣人心弦的一刻。我原本預期這些孩子會像北卡州的學生一樣歡聲雷動，結果歡聲雷動的只有他們父母，許多孩子只是手遮住臉哭起來。我想他們的情緒實在太激動了，一聽說全班都可以一起去，就情緒崩潰了。這種一輩子一次的旅行機會，對他們來說太意義不凡了。

我知道，每個月安排一次這類的驚喜是不可能的，可是我想，我們全都應該想辦法帶給別人驚喜，捕捉這種興奮的感覺，不論驚喜的大小，要盡可能多做。對我來說，教書就是製造驚喜，就是為孩子製造一生難忘的時刻。我認為，如果每一個人都這麼想，這個世界將會更有趣。

★ 超基本 *12*

偶而我會讓學生互相改考卷。為同學打分數
時，如果你打錯分數，不管是打太高或打太
低，多給的或少給的分數將由你自己的分數
扣除。在別人的考卷上只能打「x」，以及答
錯題的數目。

長大成人後，我們常會碰到觀察別人表現並加以評
價的情況。我們在職場上常要做這種事，像面試新員
工、為部屬打考績、挑選生意夥伴等等。觀察同儕的表
現，我們可以更了解自己，也更了解自己應該有什麼樣
的表現。可是，評量別人，並讓人知道你如何評量他，
有時是一項艱鉅工作，你一定要有十足的自信，才能應
付。在你能夠評斷別人的表現之前，一定要確定自己的

表現沒有問題。在課堂教學生評量同學的功課,並讓他們練習讓對方獲知結果,是為他們往後的人生做準備。

遺憾的是,有些學校並不讓學生互相改考卷,因為這會讓考不好的學生尷尬。如果沒有適當的督導與課堂氣氛,我同意這個觀點。可是,一如我前面說的,只要創造一種互相扶持的氣氛,讓學生覺得別人知道分數無妨,那麼分享成績是很有幫助的,還可以發揮激勵的作用。

首先,互相改考卷可以節省時間,馬上就可以告知老師結果。主要的顧慮是會不會傷害到學生自尊心,所以我常常要學生別在考卷上寫名字。教完一堂課後,我要學生拿出一張紙,然後我出五到十題,讓他們把考卷交上來。我馬上轉個方向,把考卷發出去,如此一來沒有學生知道手中的考卷是誰寫的。我唸完答案,然後讓學生以舉手的方式表示考卷是全對、錯一題、錯兩題,等等。這樣我可以立刻搞清楚全班對於教學內容的理解程度。這樣,互改考卷既可以達到這個目的,也不會令任何學生感到困窘。考卷上不寫姓名的時候,我只是把

考卷收回，丟進垃圾桶。我已經得到我所需要的資訊，沒必要保留試卷。

可是當我想要更具體了解每個孩子的學習成果時，我會讓這些學生在考卷上寫姓名。互相改完，我會要學生拿著自己改的考卷，以舉手的方式表示手中考卷答錯幾題，再把考卷交回給同學。這樣可免除考不好的學生自己舉手的尷尬。

有時，我會讓改到滿分考卷的學生大聲唸出滿分學生的姓名。

如果互相改的是記名考卷，有兩件事我一定要說：

＃1. 告訴所有學生，在為同學的考卷打分數時，一定要注重隱私權。不可以拿同學的成績說長論短，不管是對同學本人或其他同學。

＃2. 改考卷時，只能在錯誤的答案上面打「x」，最後在考卷的最上方標明總共答錯多少題。這點很重要，因為有些學生會無法克制的在考卷上寫：「你慘了」、「你考真糟」或是「你到底在想什麼？」這些都是我真的看過學生

寫在考卷上的。講清楚他們只能在考卷上寫
什麼，也可以防止他們更改答案。如果老師
在唸正確答案時，看到有學生在寫字，老師
就知道事有蹊蹺了，因為除了「x」之外，學
生是不能在考卷上寫任何字的。

★ 超基本 *13*

> 我們在課堂上一起讀課文時，你眼睛一定要
> 看著課文的一字一句。如果我叫你一人把課
> 文讀下去，你一定要知道我們讀到哪裡，立
> 刻就接著讀下去。

　　我記得學生時代和全班一起讀課文，有時無聊，我
會眼睛盯著正在讀的那一頁發起呆來，夢想著中樂透
彩，或者被太空總署請去當第一位上月球的高中生。我
很少注意課文的細節，可是我總是能明白正在唸的文章
大要，只是無法全神貫注而已。

　　長大成人後，我發現自己在許多的會議上，也會同
樣無聊，我會心不在焉，不注意開會的內容。為了加以
克服，我逼自己當個積極的參與者。我會發言、作筆

記、想可以問的問題。只要是一定要去開的會，我一定
會充分加以利用，反正我人一定要在嘛。很多時候，我
甚至沒機會發言發問，可是只要抱著隨時要發言或舉手
發問的心態，整個心境就不同了。我的精神會比較振
奮，我會集中注意力。我希望孩子也學會以同樣的方式
當個積極的參與者。我要他們專心，眼睛跟著大家正在
讀的一字一句，隨時準備要在課堂上發表心得或發問。
在我的課堂上不會有同學心不在焉或看著窗外。大家全
很專心，參與討論。

　　全班一起閱讀時，要每一個學生都從頭到尾全神貫
注不發呆，可能有點要求過份，簡直不可能做到。我發
現，學生覺得最無趣的科目就是語文。有的學生恨死了
語文課，尤其是默讀。我有一次和全班一起讀少年小說
《碗櫥中的印第安人》（The Indian in the Cupboard）中的某
一章，讀到一半我停下來，要求他們自己讀下去。我轉
身開始在黑板上寫家庭作業，突然覺得有人站在我身
後。我轉身，發現有一個名叫德魯的小男生抬頭看著
我，臉上是很滿足的表情。我說：「什麼事，德魯？」

他說：「我唸完了，克拉克老師。」德魯不是個很會閱讀的孩子，我知道他無法唸完一整章。我說：「你真唸完了！」他咧嘴笑說：「對啊，我讀完了一整頁。」我只是看著他，挑高眉毛，帶著笑意說：「我就知道，德魯……」他尷尬答道：「哦，對不起。克拉克老師，你是要我們不只讀這頁的前面，這頁的後面也要讀。」然後就轉身一溜煙跑回座位。我根本就不好意思告訴他，我是要他讀完一整章。

我提到我自己高中時代的發呆經驗，和德魯的誤解，旨在說明閱讀和專心都是困難的事。當然，學生中一定有熱愛閱讀的，他們專心閱讀，不用老師操心。但也有學生害怕閱讀，有閱讀障礙，我帶著全班閱讀時，我想幫助的，就是這種學生。全班一起閱讀時，我用了以下幾招，搭配這條班規：

第一招

我帶著學生閱讀時，我會語調誇張、動作活潑、表情生動。我會拋開所有的束縛，化身為書中人物。有時在讀故事時，我會跳上學生的桌子，再跳到另一張桌

子，死命尖叫或者摔到地上。我什麼都做得出來，只要
能讓閱讀的過程更高潮迭起，帶領學生進入故事的情
境。我變化一千種不同的聲音，有時候讀完一段，學生
會鼓掌歡呼。他們真的感激我努力使書中人物活過來，
把故事變得生動有趣。我的學生也都學起我唸故事的方
式，他們在讀故事時也會表情生動，也變化自己的聲音
來扮演不同的人物。這樣，整個閱讀經驗就愉快多了，
學生也可以領略到閱讀的迷人之處。

第二招

　　我挑來做閱讀教材的，都是迷人生動又有趣的小說
和讀物。我選擇的標準就是問我自己喜不喜歡讀。如果
答案是否定的，我會改挑別的。我常聽到小孩說不喜歡
閱讀。我總是告訴他們，也許你只是還沒讀到對的書而
已。

第三招

　　這一招就是實施第十三條班規的辦法。我認為，如
果我選擇的閱讀教材很有趣，如果全班能用活力充沛、

表情生動的方式一起讀，那麼學生就沒有理由心不在焉。因此，我訂的班規就說，如果我看到任何學生的眼睛沒有看著我們正在閱讀的那一頁，或是我點哪個學生唸給大家聽，他卻不知道我們讀到哪裡，那麼他的名字就要記在黑板上。剛開始我總是必須把幾個名字寫在黑板上。有些學生喜歡看我的臉部表情而不是盯著書上的白紙黑字，我花了好一段時間，才教會他們一邊讀故事，一邊在腦中呈現圖像。此外，我每天也都會撥出一段時間來讀小說給學生聽，這次卻不要求他們眼睛要跟著書本上的一字一句。這樣有助於培養聽力，也讓他們有機會看我表演。

　　為什麼一起閱讀時，學生看著一字一句是如此重要？首先，他們看到新字彙，同時聽到發音，可增加識字力和字彙，也可以注意到文章的節奏流暢。可是最重要的，是訓練他們閱讀的時候要專心。

★ 超基本 *14*

用紙筆作答的所有問答題，都應該以完整的
句子回答。舉例來說，如果題目是：「俄羅
斯的首都在哪裡？」應該答：「俄羅斯的首
都是莫斯科。」此外，與別人對話時，以完
整的句子回答問題也很重要，因為那是表現
尊重。譬如，如果有人問：「你還好嗎？」
你不應該只說「很好」，而應該說：「我很
好，謝謝。你呢？」

　　這條班規幫助學生練習造句，也練習思考及整理的
能力，尤其是在答案必須簡短，回答之前又必須想清楚
的時候。舉例來說：「有人提議，學生每天上課時間應
該再增加四十五分鐘，你覺得應該嗎？」答案可能只是

「不應該」，而不附帶任何解釋。除非，你能教孩子在回答問題前要有完整的思考，給的答案應該要有深度。

我在北卡州的同事瓊絲老師教的是數學和科學，可是她把寫作和這兩科完美結合在一起。她要求學生寫數學日誌，裡面要用文字說明自己的解題方法。她總是要求學生在答案的開頭先把題目寫下來，而且都要用完整的句子。這是將不同科目加以整合的很棒方法，身為寫作老師的我，很感謝她額外花工夫磨鍊學生的寫作技巧。

每年北卡州的五年級生都要考一次語文學力測驗。他們要讀一段文章，然後針對內容回答幾題問答題。有時，班上讀寫能力很差的學生會差及格分數一大截。在練習時，我總是教學生以下列方式回答問題：

（這是答題技巧的一個要領）

問題範例：

以上的籃球選手中，你認為誰比較棒，勞埃德或傑森？

1. 重述問題並寫出答案：

以上的籃球選手中，我認為勞埃德比較棒。

2.你為什麼這麼認為，說出一個理由：

我認為勞埃德比較棒，因為他投出致勝的一球。

3.把理由再加強一些：

他投出致勝的一球，表示他能在壓力下保持冷靜，

具有求勝的決心。

4.重述問題並做結論。

因此，我認為勞埃德是比傑森優秀的球員。

....

　　把以上基本要領多加練習，學生很快學會不論碰到任何問題，都能寫出條理分明而且思考周延的答案。掌握這項技巧後，許多學生都能夠利用這些要領寫出更富創意、更詳細的答案，但依然不失一流寫作所必備的層次分明。連閱讀能力不佳的學生都發現，要領很好學，運用起來可以得心應手。

　　在我教書的第一年，帶一個班級才帶三個星期，語文學力測驗就舉行了，許多讀寫能力不佳的學生只是呆呆盯著試卷，一個字都沒寫。這讓我心碎，可是我只能

微笑告訴他們，盡力就好。我在這所學校帶五年級兩個班，第一年我們的成績絕對是全縣倒數第一名。次年，我確定我們的分數會提升。我研究出我所說的要領，一整年都應用在所有科目。當測驗成績揭曉，我們學校每個五年級生都及格，學校的成績在全縣排名第一。我甚至讓本來只有一年級閱讀程度的學生考及格，因為他們已經學會重述問題、寫出答案、加強答案、重述答案、作出結論。

★超基本 15

學年中我不時會發獎品，獎勵學生在操行或學業各方面的優良表現。可是，如果你開口主動要獎品，我就不會給。開口問表現良好有沒有獎，是很沒禮貌的。你努力做個好學生，應該是為了你自己好，而不是為了要有獎品。我通常會獎勵每一個在單元測驗考一百分的同學。如果你考一百分，並開口問你有沒有獎品，所有考一百分的同學就通通都沒有獎品。

在現實世界的職場，表現良好的員工不見得都會得到升遷加薪。把事情做好，是因為我們以自己的表現為榮，熱愛工作，或者想保住飯碗。即使我常常獎勵學生，我也知道我必須讓學生對離開學校後的生涯有心理

準備。我鼓勵他們要品學兼優，並且要了解品學兼優不是為了獎賞，而是為了他們自己。

我真的不怕麻煩地去獎勵學生，並讚美他們，可是孩子常會從一開始的感謝，到後來竟然會問：「下一次的獎品是什麼？」有一次我發成績單給全班，考最高分的女生說：「克拉克老師，我會得到獎品嗎？」從那一刻起，我不要這類的話再出現。我要全班同學明白，不論任何狀況，絕對不能向我要求任何獎勵，也不能問他們是否會獲得任何東西。學生內心可能仍然極度渴望，但至少行動不可以表現出來。我希望學生能漸漸學會，接受別人已經給的，但不要期待或要求別人還沒給的，進而明白追求好的表現，是為了他們自己的好。

即使我已經告訴學生這條班規，他們偶而仍會說溜嘴。有一次我熬夜做巧克力餅乾，準備獎勵隔天通過「美國革命戰爭」單元測驗的學生。測驗完畢後，奎希達說：「克拉克老師，我們考好的話，有獎賞嗎？」全班靜得可以聽到針掉到地上的聲音。教室裡每個人都睜大眼睛，我睜得最大！我很生氣，因為我熬夜才做好這些

餅乾。好吧，切成一塊塊是只花五分鐘，可是我知道，她開口要求後，我就不能請吃餅乾了。如果我請的話，我就會食言，這條班規將如同虛設。我只說：「嗯，我的確是做了巧克力餅乾要請你們吃，」我停下來嘗了一口：「可是既然你們問了，沒有人會吃到餅乾了。」我走過走廊，把所有餅乾交給霍普金斯老師，讓她請她班上的學生吃。從此以後班上再也沒有學生問有沒有獎賞。這是一門很難的功課，可是如果可以幫助孩子學會感激別人給予獎勵的用心，這是值得的。

★超基本 *16*

**每個學生每天都要交每一科目的家庭作業，
沒有例外。**

　　大人的日常生活常要面對各種最後期限和到期日，
常有壓力要準時完成各種工作。我們必須在某天以前支
付帳單、交作業、把任務迅速完成。我告訴學生我對他
們功課的要求，我認為，做功課是學生天經地義的工
作，我希望他們從小就學習準時，把準時當做一種駕輕
就熟的技巧。

　　我採取的方法就是要每名學生每天都要交每一樣家
庭作業。這幾乎是一項不可能的任務，對嗎？不盡然。
如果處理得當，你可以讓班上每一個孩子都做完所有的
指定作業，並準時交，可是這要花點工夫。我用了三

招，才辦到的。

第一招 就是留校輔導。如果孩子沒有做家庭作業，他就得在隔天放學後留校一小時，做額外的功課。這個辦法有效，可是你不能期待單靠懲罰就能見效。如果只有處罰，不會有好的效果。

第二招 我製作一個追蹤家庭作業完成記錄的統計牌。我在教室外面豎立一個大看板，追蹤全班連續幾天做完所有的指定作業。這是一個簡單的牌子，上面寫著：

本班已經連續＿＿天全體同學都做完家庭作業。

每天，在檢查每個孩子是否做完功課後，我就修改數字。孩子很喜歡這樣，這是很正面的激勵力量。剛開始的連續十天沒有任何獎賞，可是十天之後，全班繼續做完所有作業的每一天，我都會在晚上做糕餅糖果，午餐時間請他們吃。譬如，在第十一天，我可能做了餅乾，第十二天，可能是巧克力蛋糕。你可能會說：「天啊，這個瘋子每晚都在做要請孩子吃的東西！」我卻這

樣看：我讓班上的每一個孩子都一心一意正確完成每項作業（順道一提，我出的家庭作業算是多的），我所做的，就是把一盒混合好的麵糊倒進碗中拌好，再拿去烘焙，切成方形，並帶到學校去。全班同學有這麼好的表現，我做的並不算多。作業全交的最久紀錄是連續六十二天。那一年我簡直是夜夜忙烘焙的傻小二。那是我在哈林區教書的第一年，班上的家庭作業完成率從百分之三十上升至百分之百，學年結束學力測驗還一舉衝至最高分。我知道，那是因為他們努力用功，持之以恆地在家做完每晚的作業。

第三招 我善用同伴壓力。你可以想像，當一個學生忘記做作業，造成牌子上的紀錄必須歸零時，班上的氣氛一定不會很興奮。其實，我從來都不必斥責這個使紀錄歸零的孩子。伴隨而來的壓力通常就夠他受的了。我會視個別學生的情況，讓其他孩子施加不同的壓力。

以賈隆為例。當他使紀錄歸零時，他似乎不以為意。那就是他的態度。他輕鬆愉快，壞了全班的紀錄好像沒他的事。嗯，我讓全班對他猛施壓。我看到他們瞪

著他，看到他們在午餐時間圍著他，看見他們提醒他有什麼家庭作業，我就當做沒看到。我知道他承受得了，最後他也乖乖做所有家庭作業了。

以艾莉森為例。班上其他同學的意見只會讓她不耐煩，會有反效果。她的態度是，正因為每一個人都煩著她，她就是不做作業。所以如果她沒有做完作業，我告訴班上同學隨她去，因為如果他們開始緊迫盯人，我知道她絕對不會屈服。不管她的話，她做家庭作業的機率反而更大。

以艾布杜拉為例。她是班上最好而且功課準備最充份的學生。她在意同學對她的看法，而且她寧可吃鐵釘也不願意讓我失望。她是最乖巧、最用功的學生，而她就是那位中止連續六十二天紀錄的學生。那時，我走到她的桌子檢查她是否做了家庭作業時，她掩面哭泣。這是一個失誤，一個誰都可能犯的失誤。艾布杜拉要幫弟妹準備上學，倉促出門就把作業簿忘在床邊的桌上。我立刻了解，她是忘記帶作業了，所以我走到前面說：「同學們，我們必須談一下。我們全都知道，艾布杜拉是

班上最努力用功的學生之一。她已經竭盡所能使本班保持連續六十二天的紀錄，即使這個紀錄將在今天終止，我認為我們全班必須給自己和艾布杜拉熱烈的掌聲，因為我現在告訴你，我敢打賭今年全美國沒有一班能夠全班連續六十二天做完家庭作業，我們深感光榮。」當然，艾布杜拉並沒有被處罰到，因為沒有必要。同一種犯錯的處理方式，應該要依孩子的狀況而定。

★ 超基本 *17*

課堂上，教完一科要換別科時，換的過程要
迅速、安靜、有秩序。大家應該總是以最快
的速度，從一本課本換到另一本，連帶所有
家庭作業和必要的教材都準備好。轉換的時
間應該不超過十秒鐘，我們則以七秒鐘為目
標。

　　我們在日常生活中，每天都有多重的任務必須完
成。我們常常因電話、好看的電視節目、舒適的沙發或
與同事聊天之類的事情而中斷，沒有依序一一完成所有
的任務。如果我們可以堅持目標、完成任務，然後再利
用剩下的時間做休閒活動，就可以更有效率。我努力讓
我的學生全神貫注，以正事優先，一鼓作氣直到手邊的

工作完成。

在我教書的第一年，我注意到，教完一科，準備開始另一科時，學生會開始講話、走動、翻找家庭作業、站起來削鉛筆，要花許多時間才能一切就緒。我那時決定要讓科目的轉換像一場遊戲。我告訴全班，早上一進教室，就應該整理好所有的教材，放在隨手可取得的地方。當我們結束一科時，我會說：「現在拿出數學課本和家庭作業。」孩子們可以把剛剛教的教材收起來，在幾秒鐘內拿出數學課需要用的東西。這有時要有一點技巧，譬如當我必須用到投影機時。除了讓學生拿出教材，放映投影片還需要拉上百葉窗、關燈、推出投影機、插上插頭、拉下放映的屏幕。我把這些工作分派給學生。我一說要用投影機，每個人各就各位，幾秒鐘就一切就緒。參觀我們班的老師總是誇講這些孩子準備投影機的動作多麼快速。有時我站在教室前端講課，也許有同學說看不見我在黑板上畫的圖，我會說：「好，讓我用投影機來告訴你。」我走到教室的中間，還沒就位，投影機就已經被推出來，插上插頭、拉下百葉窗、

關起燈、拉好屏幕,而且筆交給我了。我隨意提筆開始
寫字,好像沒有不尋常。其他老師會問我是怎麼辦到
的,我就說,很簡單,孩子都喜歡幫忙,從一件事儘快
轉換到另一件事,要他們快、快、儘量快,他們都好興
奮,我們也反覆練習過很多遍。訓練不到一個月,如果
方法正確,全班做起來就輕鬆愉快。

優秀是教出來的

★超基本 *18*

做什麼事都要盡可能有條不紊。

　　我給人的印象可能是世界上最亂的人。我在教室的
書桌上堆滿文件、資料夾、書籍、餐巾紙和食物。沒
錯，就是食物。偶而我不小心動到桌子，桌上東西劈哩
啪啦全掉下來，常害得附近的學生要把腳抬起來。如果
你問任何一個我教過的學生，我確定他們會說，我的桌
子上有一個禮拜沒換的茶杯、吃了一半的甜甜圈，林林
總總滿桌子。可是我確定他們也會告訴你，我知道桌上
每一件物品的放置位置，我要拿任何東西，不用幾秒鐘
就可以拿到。

　　了解我堆滿桌的傾向，就可以了解為什麼我能夠高
度容忍課桌零亂不堪的學生。可是這種容忍附帶一個條

件。我告訴學生，他們桌子裡面東西怎麼放我沒有意見，可是如果他們無法快速拿出我要的作業本、筆記本等等，就會有問題。我在哈林區教過一個名叫馬文的學生，他的零亂程度與我不相上下，可是不論我要什麼，他總是能夠隨手拿出來。哈林區有另一個學生，名叫修蒙，就算丟他到大海裡，他也會找不到海水。每次我看到他因為亂而找不到作業時，我就會舉起他的桌子，顛倒過來，把所有亂七八糟的東西倒在地上，再要他找出作業，而且不可以再把不必要的東西塞回桌內。這樣做可能有一點嚴，但就因為誇張，深印在小孩子的腦海中，日後他們找不到作業的頻率就會大減。無論如何，這樣做並不是因為我生氣或要羞辱學生，我是在教他們，而且我一定會解釋清楚。

每年，我都會詢問正在教我教過的班的老師，問我教過的學生表現如何。大體上，我想了解學生哪些方面已經打好基礎，哪些方面仍有缺點。問這種問題有時會覺得不好意思，有點難堪，聽到一個老師告訴你，她從你手中接下的學生底子有多差的時候，感受不會好到哪

裡去。但是如果你真的想當個好老師，後繼老師的評估就很有必要。當你聽到好評，這一切就很有價值。譬如，以前有老師跟我說過：「我一定可以分辨我的學生中哪些是你教過的，他們的寫作技巧就是優於其他學生。」那種話聽了很窩心。可是以前，我問的老師總是提到我的學生比其他學生多了一個缺點，就是做事的條理。我聽了很受不了，我認為那一定和我教的方式有關。

有一年夏天，我決定做點什麼，幫助我的學生變得更有條理。首先，我去採購，買了一組我希望每一個學生自備的文具。我找到一個大的檔案夾，可以裝進筆記本、活頁紙、鋼筆、鉛筆、計算機和週曆本子。然後我買了一本我希望他們擁有的一百頁的筆記本，和蠟筆、尺、釘書機等等。我也買了一盒衛生紙，因為我發現我會一整年都在買衛生紙，孩子是常常流鼻涕的。為了節省我自己的錢，我就把衛生紙加在學生的自備用品清單裡面。接著我把這些東西放在我客廳的地板上拍照，再寫一封信給學生，說這是這一年必須用到的文具，隨信

附上照片。他們在開學前三個禮拜收到這封信,家長就會有許多時間尋找這些要用的文具。過去,在我還沒準備這份清單之前,學生開學會帶來許多用不到的教具,我討厭這樣。孩子和家長通常對新學年感到無比興奮,買一大堆文具,即使很多都用不上。家長一拿到我寄的照片和信,心中滿是感激。他們不用匆匆忙忙去找要買的東西,他們確實知道我要他們買些什麼,不會浪費錢買一些孩子不需要的。

開學第一天,幾乎所有學生都準備好所有的文具。所有家長不論收入多寡,都很支持這個在開學時採購文具的做法。我會仔細檢查全班同學買來的每一樣東西,並告訴他們每樣東西使用的時間,以及應該如何標明每一次作業。我示範如何把家庭作業記在桌曆本子上,打過分數的考卷又應該放在哪裡。教過這套方法後,這一班變成我所教過最有條理的一班。要交作業時,全班都知道作業放在何處。如果我要他們拿出複習本,也都立刻找得到。此外,當我和家長會談時,我會和家長仔細翻查每個孩子的筆記本和活頁夾,立刻可以找到我需要

的任何講義、作業或考卷。那一年我學到一件重要的事：學生喜歡有條理，也都慶幸有這個方法。他們學會條理之後，不只將來升學，甚至進入職場，都用得上我教他們的技巧。

我會建議，如果你的工作是要指導別人怎麼做事，一定要盡可能把你的期望說清楚、講明白。必要的話，不妨拍照並以書面詳細敘述你所要的成果。舉例說明你自己是如何做到有條不紊，以及你希望他們做到什麼程度，藉此教導他們如何保持條理。我已經觀察到，你絕對不可以預設立場，假定學生或誰已經了解你心目中的理想做事方法。把你的期望說清楚、講明白，永遠是最好的做法。

★超基本 *19*

當我指派家庭作業時，不要抱怨。抱怨將導致作業份量加倍。

　　想想你工作的地方，再想想和你一起工作的人。當中有多少人是積極的？有多少人是消極的？你寧願花時間和哪一種人談話和一起工作？我認為答案很明顯，消極的人卻還是很多。要他們去做任何事，要他們付出任何努力，他們似乎都有牢騷可發。

　　我討厭有這樣的人在身邊，因為聽到有人抱怨真的是很煩。有時，我們就是必須做我們不想做的事，可是那是我們的責任，反正我們都必須去做，再怎麼抱怨叨唸都一樣。許多時候，在抗拒工作時耗用的精力反而比完成它所花的力氣還要多很多。有時孩子要求你教他做

功課，或者長輩希望你去看他，或者草皮需要除草，你就是不情願。這是正常的，可是職責仍是職責，該做的就是要做，請不要埋怨，或露出不情願。

我希望在教室中培養積極的態度，無論如何我都不許學生抱怨作業或都對他們的要求。這條班規所用的處罰是加倍作業的份量，這項處罰曾讓我承受過一些壓力。其他老師總是說：「克拉克老師，我不認同第十九條班規，你絕對不應該用家庭作業當作處罰。」我了解他們的觀點，可是對指定的功課有抱怨卻也不該通融。為了加以避免，一定要下猛藥。什麼情況比較糟糕？讓全班抱怨每一樣作業，散佈負面的情緒，還是加倍作業份量一、兩次，從此全班毫無怨言的接受每樣作業？

我告訴學生，如果真覺得一個晚上做這些家庭作業太多，我歡迎他們說出來，可是表達的方式一定要恭敬，不是用抱怨的。舉例來說，我就告訴學生，可以這樣表達：「克拉克老師，班上有幾個同學今晚要在社區活動中心表演。不知有沒有可能減少指定閱讀的頁數呢？」我向來願意在這類的問題上配合孩子，而且我總

是減少全班的作業份量，不只是方便那些有職責在身而無法完成所有作業的同學。

★ 超基本 *20*

代課老師來代課時，你們要和我在的時候一
樣遵守班規。（我知道執行起來有困難，但
還是很重要。）

大家都知道，老闆不在公司時，員工可能摸魚。俗
諺說：「貓不在家，老鼠稱王。」我自己就經驗過，在
丹金甜甜圈店打工時，經理不在店的時候，我們員工會
玩捉迷藏。校長不在學校時，有些教師只會出一些習題
給學生做，這樣也算上課。我希望我的學生抱持的心態
是：他們所做的一切都是為自己，自己的工作，自己要
有榮譽感，不論老闆是否站在身後。我希望他們把事情
做到百分百，是為了高興做，而不是有人逼。

對十二歲的孩子灌輸這樣的觀念可能有點難，因為

學生一哩外就可以嗅到代課老師的氣味。老師還沒病，學生就可以搶在醫生之前好幾天感受到，老師就快要生病請假了。他們可以大整特整新來的代課老師，一副天不怕地不怕的神氣。

　　我記得初中時的情景。來了一位慈眉善目的代課老師，我們都好興奮。初一有一次，代課老師在教室裡，我和同學玩打仗玩得天翻地覆。女生用金姬帶來原本是牙套要用的橡皮筋當武器，男生的彈藥是賈德諾老師種在窗戶旁的紅色漿果。橡皮筋和紅漿果齊飛，渾然不覺的代課老師卻坐在桌前，看她的羅曼史，完全沒注意到小說以外的世界。第二天，賈德諾老師走進來，看看我們，看看她的植物，再看看我們，問道：「我的漿果樹究竟發生了什麼事？」場面有一點可怕。

　　為了避免舊事重演，我用了幾招。第一招是耳提面命，即使我不在，大家在教室裡也要守秩序。我提醒同學要展現最好的一面，如果我發現有誰不守規矩，我回來時後果會很嚴重。我喜歡這句話：「後果會很嚴重」。這句話很棒，因為我沒有真的說出我會採取什麼行動，

所以不會自縛手腳。搞不好全班都會鬧得一團糟，我可不想讓我自己和三十七個孩子一起課後留校一個月。我只說後果將會很嚴重，我就可以只罵兩句，表示對他們感到很失望，這樣就不算食言。無論如何，第一次請完假返校，一定要有代課老師留下的清楚紀錄，告訴我學生做了什麼事。如果有一個孩子不守規矩，經過查證又是真的，我勢必得教訓這名學生給全班看。雖然很不幸，可是有其必要。全班都會看我如何處置，如果我放任不管，或者如果後果不夠嚴重，下次我再請假，全班一定會鬧翻天。我通常會當著全班的面好好訓這個孩子一番，宣布他要接受一個禮拜的課後留校，並讓他知道我將連絡家長。我要這一刻深深印在全班同學的心中，讓他們記住下次和代課老師在一起時要守秩序。

可是，我必須說老實話。有時侯是代課老師對學生太粗魯、太不講道理、太不會帶學生。遇到這種狀況，我會歸咎於代課老師，但不讓學生知道。我會假裝生學生的氣，假裝氣得要死，卻不處罰。我說：「喔，你讓我好生氣，你會對造成的後果感到懊悔的。」最後卻什

麼事也沒發生。這是我常說的話之一：「你知道，孩子們，我對你們付出是毫無保留。我工作累到生病，還常帶你們去校外教學，盡可能讓你們接受最好的教育，你們卻這樣報答我。這麼說吧，我必須告訴你們，你們做出這樣的事，讓我再也不想執行我原本為全班準備的一些很棒的規畫，真是糟啊。」這席話一向很有效。

　　讓學生在代課老師面前循規蹈矩的最好辦法需要我花很多心力，可是有效的不得了。當我知道我要請假時，我會先帶學校的V8回家，事先錄好請假那天我上課要教的內容。我將這樣說：「 好，同學們，現在我需要你們拿出小說，翻到一百卅四頁，詹金斯老師，」她是代課老師：「是否請您按下暫停鍵，當所有學生都翻到正確頁碼時，再按PLAY。」然後我唸給學生聽，停下來討論重點，並解釋我認為他們可能有疑問的地方。但是，這個辦法的一個關鍵是我使用了小小的一招。首先，我在錄影帶一開始就說，我可以看見班上每一個同學，如果有誰不守規矩，我都會知道。當然，這聽起來很荒謬，可是在我請假的前一天，我總是會找幾個學生

來，要他們發誓保守秘密。我告訴其中一個學生，當我說我可以看到全班學生時，他要說：「克拉克老師，你真的看得見我們嗎？」就在錄影帶一邊播放，孩子一邊問我是否真得可以看見全班同學時，我答說：「沒錯，貝瑞，我看得見你！你最好給我專心點！」這總是讓學生信以為真，甚至嚇到一些代課老師。

我喜歡製作教學錄影帶有幾個原因。首先，這樣孩子就不會錯過一天的教學。我等於就在課堂上教授當日的課程。其次，我不必為代課老師詳細撰寫課程計畫，只要寫「按PLAY」、「按STOP」就好。第三，孩子都很感激我製作教學錄影帶所花費的心力。他們未必告訴我，但我有錄帶子的時候，我可以看出錄影帶對他們非常重要，我花時間為他們錄影，他們就可以不必做一堆習題和閱讀。第四，這樣維持紀律最不費力氣。代課老師總誇講說這樣管一個班是多麼輕鬆，代課老師只要坐在前面，記下不專心看的孩子姓名即可。但是他們總是說，每個孩子都在看錄影帶，而且全神貫注。我在錄影帶中搞笑，還表演戲法，所以孩子都看得很融入，都樂

在其中。

　　做父母的出公差或去渡假，必須離開小孩時，這個辦法也管用。你可以坐在攝影機前面，唸一本他們最喜歡的故事書給他們聽。然後，當小孩想你時，他可以播放這捲帶子，反覆播來看。我們現在處於資訊時代，你人不在，並不表示你就不能在小孩之前現身。

★超基本 *21*

要遵守某些課堂禮儀。為了要專心、有條
理、有效率，要遵守下列規矩：

A：未經許可，不要離開你的座位。例外是
　　身體不舒服的時候，不舒服的話，不用
　　問老師，快去洗手間或醫護室。

B：不要發言，除非：

　　1.你有舉手，我也叫了你的名字。
　　2.我問你問題，你回答。
　　3.在下課或午餐時間。
　　4.老師說你可以說話的時候（像分組討論）。

我們全都曾經參加過毫無規章、浪費時間的討論

會，像家長會、鎮民大會、一家公司的董事會。常常有人滔滔不絕，不然就是缺乏領導，沒人有效掌控會議流程。我上課時，就很想教學生如何在團體中自我克制，如何適當地參與辯論和討論，如何應對得體。

我知道這些不要說話或不可離開座位的班規似乎太極端，可是當你帶著一群缺乏組織、還沒習慣我要培養的那種課堂氣氛的學生時，有必要一開始盡可能嚴格，將來再漸漸放鬆。

剛開學時，我甚至不讓學生在未經允許的情況下離座去削鉛筆。除非他們舉手問我，不然不可以站起來在教室內走動。通常在十一月左右，看我帶的學生的情況，我會告訴他們只要我不在講課，他們就可以離座去削鉛筆，不用先問我。他們知道，一次只能一個人起身，而且如果有別的同學在削鉛筆，就必須等那個同學回座位，然後他們才能站起來去削自己的鉛筆。當你讀到這裡，希望你不要以為我的課堂呆板無趣，其實我的課堂是充滿樂趣和刺激的地方。偶而也鬧哄哄的，全班會很瘋，可是我知道，如果我要這些孩子回到課業上，

並恢復秩序，只要我說一句話，全班就會安靜下來。

我不讓學生交談，是因為一讓學生自由說話，鮮少有不失控的。也許是因為我帶的孩子都是活力充沛，也許是因為教室裡的學生人數太多。在紐約市，我一班要教三十七個孩子。可是為了讓學生專心課業，除非是課堂討論，他們想要發問，或我要他們發言，不然最好不許他們講話。通常在幾個月後，我會放鬆這條班規，偶爾學生會低聲交談，可是從來沒有失控過。一旦你能夠掌控一個群體，你就能夠做一些很棒的計畫。我們曾經做過一些大家一起動手的勞作，使用膠水、緞帶、汽球等雜七雜八的，可是同學仍然專注，而且井井有條，我稱之為「有秩序的混亂」。如果教室裡沒有那樣的條理，這種動動手的分工合作一定會徒勞無功。

★ 超基本 22

你可以帶一瓶開水放在桌上。我在上課時不可以問你是不是可以去倒水。你甚至可以放吃的東西在桌上，只要別人沒看到，我也聽不到你吃東西的聲音。

當我們對週遭環境覺得舒服時，大家的表現都會更好。想想看你的工作地點。你桌上有放一杯咖啡或飲料嗎？你在看電視時，有零嘴在手邊嗎？希望身邊的環境能夠如我們的意，是再自然不過，而且很惬意的事。

我唸書的時候，口袋裡一定要放一把糖果，陪我在學校渡過一天。唸小學時，有數不清的次數，被老師要求吐掉口香糖或丟掉我的糖果。我還記得當我上大學時，發現可以任意帶一塊披薩和一杯飲料去上課時有多

麼興奮。就像在天堂裡，身邊有吃的喝的，我就會感到
放鬆。每一次我到我媽工作的地方看她，她總是在桌上
擺一罐百事可樂和一盤賀喜巧克力。我媽說，沒這些，
她就是做不好工作。在中小學教室裡不准吃任何食物、
喝飲料甚至嚼口香糖的禁令，讓我覺得很奇怪。我訂了
這麼多嚴格的班規，卻准許學生帶食物進來，你一定覺
得訝異，可是，學生在班上喝飲料和吃東西的確完全不
干擾到我。我在哈林區教書時，有一段時間教室很熱，
學生常常問可不可以去倒水。這令我抓狂，可是我無法
說不行。我確定，只要讓他們擺一瓶水在桌上，就可以
不讓他們在上課時間不斷起身倒水。

　　幾年前，我甚至決定讓孩子在課堂上可以吃東西，
可是有條件。首先，打開任何包裝絕對不能發出聲響。
其次，不能讓班上任何人聽到咀嚼的聲音。第三，不可
在桌子附近留下食物殘渣。學生都十分興奮，他們喜歡
擺吃的喝的在桌子裡，他們大多數都確實遵守規定，可
是有一些小小的問題：一個叫塔曼妲的女生，她桌子裡
的食物比便利商店還多。除了書本和紙張之外，還塞了

吃一半的三明治、壓碎的薯片、巧克力布丁、軟糖，各式各樣，無奇不有。要讓塔曼妲不把桌子裡搞得一團糟，簡直難如登天，最後我只好收回她擺食物的特權。

提到塔曼妲的桌子，總是說不完，我有一籮筐的故事。有一天，教科學的史高夫藍老師上課要用到食用色素。她上完課時，發現一小瓶綠色食用色素不見了。我問是不是有人拿走，沒有人舉手。後來，我看到塔曼妲滿臉變成綠色！她之前把這個色素瓶藏在抽屜，顯然她打翻瓶子沾了滿手。她沒有察覺，又用手支著臉，所以她的臉沾滿了綠色。我決定再問一次：「全班同學，你們確定你們之中沒有人拿了綠色素瓶？」沒有人舉手，所以我繼續上課。幾分鐘後，我忍無可忍，我說：「塔曼妲，你確定你不知道那瓶色素在哪嗎？」她答：「不知道，老師。」我只好說：「塔曼妲，如果你真的拿了色素瓶放在抽屜，不知怎麼的我有種感覺，你受到的懲罰已經夠了。」最後她才發現綠色素沾得她全臉都是。我早知道她有拿，可是反正全校有一半的人已經看到她的綠臉，我覺得她受到的懲罰已經夠了。

★超基本 *23*

快速記住學校其他老師的姓名,並這樣打招
呼:「葛蘭姆老師早」或「歐提茲老師好。
老師今天穿的很漂亮。」(註:如果是全班
列隊前進,照規定是不准說話的,所以這時
不可以和遇到的老師說話。但是在上下學、
下課休息、幫老師跑腿、外出辦事或換教室
上課時,你就應該和其他老師打招呼。)

　　我在和別人交談時,發現他們不知道鄰居的姓名或
叫不出周圍同事的名字時,總是很訝異。人們不常自我
介紹,尤其是有新同事進來或有新鄰居搬來時不自我介
紹,是很糟糕的事。我希望我的學生在人生中學習認識
在週遭居住和工作的人,並設法讓新進人員或新來鄰居

在新環境中感覺舒服，受到大家歡迎。我要學生養成知道週遭人姓名的習慣，對每一個人親和有禮。我認為這樣，才會使工作和居住的地方舒適怡人，大家身在這樣的環境，心情會更愉快。

我在美國所參觀過的所有學校，規模越小的學校就越給人親切感，而且總是讓我有賓至如歸的感覺，所有的老師都記得所有學生的名字，學生也記得老師的姓名。我聽許多老師說過，成功的學校環境，關鍵就是縮減每班的學生人數。我覺得未必如此。我參觀過一些人數超過一千人、經費充裕的大型學校，每班的學生人數都不到二十二人，學生在學校中卻似乎不具自己的身分，他們在學校中活動，身分好像從裂縫中溜走。我在北卡州所任教的史諾登小學，一班的學生人數有時超過三十人，學校卻仍能維持「家」的感覺，因為大家都認識大家，校內有一種強烈的信任感。我認為箇中關鍵可能不在於一班有多少學生，而是學校氣氛讓孩子覺得有多麼親切友善。

我到紐約市哈林區八十三號公立小學教書，強烈感

受到那種信任和舒適的感覺。副校長卡斯提洛女士非常
了不起，她就像慈母一樣的照顧所有師生。她知道每個
學生的姓名，受到大家愛戴。有的老師已經在那裡教書
四、五年，深受學生的尊敬和喜愛。學校每年都有許多
新面孔。我到校的第一個禮拜，有超過十位新進老師。
過了幾週，其中有五位離開，又補了五位。新補的五位
當中又有三位離開，再補了三位，這些來來去去，都是
在耶誕節之前發生。

　　老師異動頻繁使得學校向心力無法凝聚。 因此，我
要求學生學著記住學校裡所有老師姓名，這樣可以促進
團結的氣氛。我覺得，如果學生認識學校的每一個人，
他們在會覺得安心。他們認識學校裡的大人愈多，碰到
問題或需要協助時，他們可以求助的對象就愈多。

　　此外，身為老師，學生知道你是誰並和你講話，老
師也會感覺很愉快。想像一個新老師第一次走進學校，
他或許對新環境感到緊張，也會擔心學生喜不喜歡他。
大多數學校的老師們會舉辦迎新活動歡迎新進教職員，
可是如果學生也給予熱烈歡迎，我想效果會更好。

★ 超基本 *24*

如廁後要沖水和洗手。使用公廁的話，洗手前要先拿一張紙巾。洗完手要拿著紙巾關水龍頭，再取另一張紙巾擦乾雙手。絕對不要用乾淨的手去碰別人髒手碰過的地方。

　　這條班規可能有點過份，你可能認為沒必要拿紙巾去關水龍頭。我真正要求的是大家在使用公共廁所時，要考慮到清潔。我們都知道，衛浴設施很難保持清潔。給皂機沒有肥皂會令我抓狂，而且我搞不懂感應式水龍頭只讓水流大約一秒半是怎麼回事？我發現我在水龍頭下方揮動雙手要讓水流出來，可是手才碰到水，水就停了。這使得洗手成為煩人的事。

　　除了洗手不方便之外，公共廁所可能是一場夢魘。

從馬桶沒沖水到衛生紙亂丟在地上，都是很不衛生而且令人作嘔的經驗。

　　我教書的第一年，我留意到男廁的便斗怎麼從來都沒有沖水，這令我抓狂！我問學生為什麼他們從來不沖水，我得到兩個答案：一、 我不想碰觸把手，因為把手很髒。二、我們在家除非小便兩次否則不沖水，才不會浪費水和金錢。

　　要解決第一個問題，我告訴學生在如廁後去拿一張紙巾，不然就隨身攜帶一包紙巾，用紙巾碰把手。第二個問題，我向他們解釋，如果他們的尿液積在便斗裡，會滋生細菌，會讓別人和他們自己生病。然後我問學生，有多少人喜歡使用存有別人尿液的便斗。當然沒人喜歡，因此我強調必須處理好自己的事，不要麻煩別人。謝天謝地，學生記住我說的話，從此便斗就乾淨了。我班上的學生甚至會叫回不沖水就直接離開的學生，提醒他們要沖水。

　　我認為使用廁所碰到的第二個問題是孩子們用髒手轉開水龍頭，洗過手，再關上水龍頭，又碰到剛剛髒手

碰過的地方。為了解決這個問題，我要求學生洗手前先拿紙巾。我告訴他們在洗手後用那張紙巾關水龍頭，也用那張紙巾去按給紙機的把手，取另一張紙巾。（我知道這樣好像有點神經，可是身為老師，在學校中會接觸到形形色色各種病原，為了生存，當然要在病原滋生前就想辦法加以杜絕。）

提到廁所整體的清潔，我告訴學生，工友的工作多辛苦，我們只要舉手之勞，就能幫助他們。第一件就是絕對不要把紙巾丟在廁所地上。這幾乎是不可能杜絕，十幾歲的男生總認為自己是麥可喬丹（Michael Jordan），當然差遠了。沒有投進垃圾桶的紙團總是掉在垃圾桶附近。我特別告訴學生，要拿一張紙巾，繞整個廁所一圈，拾起地上的所有垃圾去丟到垃圾桶裡。我說，我不在乎他們是否這樣做，重要的是當他們離開時地上是乾淨的。從此廁所就換了一番面貌，孩子也頗引以為傲。

★ 超基本 **25**

學校會有訪客來參觀。如果來參觀我們班，
我將派兩名學生去外面迎接。負責去迎接的
學生會拿一個歡迎某某先生或某某女士光臨
的牌子。來賓到達時，這兩名學生要和他握
手，介紹自己的名字，並歡迎這位來賓光
臨。兩位學生先帶來賓簡單參觀大樓的設
施，再帶來賓到教室。

有訪客到你的辦公室，或者宴會中來了一位只認識
你一人的客人，這個規則都可以派上用場。來賓來到新
環境，你這樣做可以讓他覺得舒服，有受到歡迎。對來
洽公的訪客，你不妨派人在大門歡迎他，並帶他簡單參
觀公司。應該要有人帶他到你的辦公室，把他介紹給

你。如果是赴宴的賓客，不妨請一位朋友在門口接待他，帶他四處走走，介紹他給其他賓客認識。

進入一個未知的環境會覺得驚恐與害怕。我讀高中二年級時，我們家從北卡州的秋科威尼提（Chocowinity）搬到同一州的貝哈文（Belhaven），我必須轉學，新學校裡我一個人也不認識。上學的第一天我很害怕。爸媽告訴我，第一天學校會派個人帶我認識新環境，可是那個人並沒出現。我一直獨自一人，從一個教室走去另一個教室已經夠糟了，我最畏懼的卻是午餐時間，因為我將獨自用餐。幸運的是，在第四堂課時，老師指派艾妮塔作為我的科學實驗夥伴。她對我說：「你一定是新同學，所以你將和我們一群朋友一起吃午餐，我不接受『不』的回答。」她不必擔心我說不，我根本就是如釋重負。我最後和艾妮塔和她朋友變成最好的朋友，也漸漸愛上這所學校。可是我永遠不會忘記，第一天到校誰也不認識、哪裡也不知道怎麼去、會發生什麼也都不知道，那種不舒服的感覺。

最近，我必須去參觀專做音效的穆札克(Muzak)位於

北卡州夏洛特的分公司，他們的熱誠歡迎真是感人。他們派一個人在大門接待我，帶我參觀公司，並向全體員工介紹我。他們準備了我最喜歡的食物，也就是甜茶和水果，當作點心。我離開前，他們送我一個「心意籃」，裡面有一件Ｔ恤、一個馬克杯和好幾種紀念品。他們也舖了紅地毯，讓我覺得備受禮遇。雖然我可能無法為每個到我們教室參觀的人做到那樣的貼心，可是我還是希望每一個來賓都覺得受到歡迎。當你走進一所學校，不知道要往哪裡走或必須問誰，會格外惶恐。為了處理這樣的狀況，我學會派兩名學生拿一個歡迎的牌子在前門等候，牌子上面清楚寫著來賓的名字。算好時間，兩名學生就會錯過太多上課時間。

來賓到校時，我讓兩名學生出去接待他，帶來賓簡單參觀學校。然後他們倆陪來賓到教室，介紹給全班學生認識。這個過程需要許多練習，我通常要找一天放學後留下一群學生，練習帶來賓參觀學校。介紹詞、應該提供的訊息、應該問的問題，我們都仔細演練。這對來賓是一種尊重，每一個訪客都會心生感激。

★ 超基本 *26*

在校內的公用場所，不要幫要好的同學佔位子。如果有同學想要坐下，就讓他坐。不要排拒任何人。全校都是一家人，彼此之間要親切，要尊重。

我們都有覺得被孤立的時候，大人也常常受到其他大人的排擠。一個班裡面如果有孩子遭到排擠，可能會變成老師的惡夢。我不喜歡看到孩子孤立無助。我從上課的第一天就告訴學生，我們是一家人，要互相接納。我告訴他們要和所有的同學做朋友，不要有小圈圈。可是我也告訴學生，不必喜歡班上的每一個人。我說，身為大人的我也不見得喜歡我見過的每一個人。我還說，只要是人，就不可能見到誰都喜歡，可是不管我有什麼

感受，我一定會以親切和尊重的態度對待每一個人。我說，我要他們也跟我一樣。

如果我注意到每天中午，學生到學校餐廳都坐相同的位子，或有人幫忙佔位子，我就會說他們。如果再有同樣情形出現，我就畫一張座位表。我確定座位的安排能夠讓每一個人都有談話的對象，沒有人被冷落。我通常告訴他們必須那樣坐，直到我說不必為止。（我喜歡這句話：「直到我說不必為止」。最好不要為處罰定一個時間點，因為你不知道會發生什麼，讓你想把規定時限提前終止或加以延長。）

要學生去學會接受每一個人是要花點時間，因為成為小圈圈的一員會有某種安全感。甚至連我們大人都想要有一種歸屬感。遺憾的是，少數人的組合代表著要排擠他人。有一群一群的朋友無妨，可是我總教學生，他們與朋友一定要能夠接受別人，一定要接納別人參與他們的活動，這點很重要。

超基本 27

不管是我還是其他老師在責罰某名學生時，都不可以盯著那個學生看。如果是你惹麻煩挨罵，你也不希望別人看著你，所以別的同學挨罵時，請不要看著他。如果是你正在被我罵，也請不要生那些看你的同學的氣。請告訴我，讓我來處理。

這條班規當初是為茱莉亞一人制定的。茱莉亞不斷惹麻煩，只要你說得出來的調皮搗蛋，她都做過。我在訓誡她時，只要有其他學生盯著她看，情況就會更惡化。她會罵回去揍回去，變得極具敵意。我知道我必須不惜任何代價阻止類似情況重演，所以我告訴所有學生，如果我在懲戒另一個學生，通通不准他們盯著看。

他們可以把頭垂下或臉朝前方。這條班規很有效，不只是對茱莉亞，對全班來說都很有效。想像一下，如果你駕車超速被警察攔下，警察要求你下車，當你在和警察談話時，每名路人都轉頭盯著你看，那種感覺有多麼不舒服，只會把狀況弄得更悽慘。我在北卡州的同事瓊斯老師總是說，她最大的恐懼就是開車被警察攔下時，路過的校車載著她的學生對她揮手並指指點點。受罰是一回事，惹麻煩後人盡皆知，大家都看著你挨罵又是另一回事。在學校，孩子難免惹事，一定會有被訓誡的時候。為了避免這種成為眾人目光焦點的尷尬與憤怒，我一定要學生弄懂這條班規。我也要他們了解，如果有學生眼睛盯著我正在斥責的學生，看的學生也會受罰。

★ 超基本 28

如果你有家庭作業的問題，你可以打電話給我。如果我不在家，可以這樣留言：「克拉克老師您好，我是誰誰誰。我的什麼什麼作業有問題要請教您。可能的話請您在幾點之前回電話給我。謝謝。」沒必要留言十四次。

在現今職場，讓客戶隨時可以找到你是很重要的。能夠隨時在有問題或必須談生意的時候連絡到提供服務的人，會覺得比較安心。要事業順遂，你必須隨時讓人找得到，我把這種態度也帶進課堂。雖然許多老師不把家裡的電話號碼告訴學生，我這方面卻沒有顧忌，我也不責怪那些有顧忌的老師。如果你的電話響個不停，可

能是一場夢魘，實際上卻沒那麼糟糕，因為大多數學生都不會打電話來，但知道必要時可以打電話給我，他們會比較安心。這讓他們有一種安全感，也顯示我很關心他們，願意在他們有需要時分享我的私人時間。我也會花時間向學生解釋怎麼打一通得體的電話。

　　我告訴他們，不可以打電話來問我有什麼家庭作業。他們應該在上課時確實抄好，如果沒抄好，應該打去問同學。如果打來給我，我雖然會告訴他們，可是他們第二天到校就會被罰午餐時間不能說話，下課也不能出去玩。一通得體的電話是在做家庭作業時碰到疑問尋求解答。在一個超過三十個學生的班，我不容易注意到每一個需要協助的孩子。而且，許多孩子覺得在其他同學面前承認需要幫忙是難堪的事。他們有了我的電話號碼，就有機會可以得到學校中得不到的個別關注。在哈林區，就有個名叫瑪莉亞的女生，在教室裡非常安靜害羞。她上課從來沒有舉過手，說過哪裡有疑問。可是每天晚上她都打電話我，我們會花大約五分鐘討論作業上的問題。她常常只是需要更多的解釋，以及指點她從何

處著手。對瑪莉亞來說，這使得她在這一年的學習狀況
大為改觀，而且不只是在學業上。她知道她不孤單，她
有我的支持，當她需要時，我會幫助她。

　　儘管有老師擔心家裡電話可能響個不停，但我一天
難得接到超過一通的電話。可是給電話是重要的，如此
一來，就沒有孩子會走進教室，以不了解作業內容作為
沒做作業的理由。我讓學生沒有辦法用這個藉口搪塞，
因為他們有疑問時就可以馬上打電話給我。

★超基本 *29*

用餐時有些禮儀一定要遵守，我稱之為「用
餐禮節ABC」。

A.你一坐下準備用餐，就立刻把餐巾舖在大腿上。如果餐具包在
　餐巾裡，你一坐就要把餐巾打開，並把餐巾舖在大腿上。

B.用餐結束，要把餐巾放在桌上你的餐盤的左邊，放著就好，不
　要揉成一團，這樣會看起來亂亂的，也不要折疊端正，這樣好
　像在假定餐廳會把這條餐巾拿給別人用。絕對不要把餐巾留在
　椅子上，這樣好像餐巾髒得不能放在桌上。在有些文化中，把
　餐巾留在椅子上的意思是你不想再度光臨這家餐廳。

C.絕對不要把手肘放在餐桌上。

D.用一隻手用餐，除非你在切割食物或塗奶油。絕對不要一隻手
　拿叉子，一手握杯子。

E.不要舔手指。餐巾就是讓你清理手指用的，沒必要用舔的把自

己舔乾淨。

F.不要發出嘖嘖聲,也不要大聲咀嚼。

G.咀嚼的時候不要張開嘴。

H.不要在滿口都是食物的時候說話。有人會一手掩嘴一邊說話,
　也不要這樣。應該要把嘴巴裡的東西吞下去再說話。

I.如果東西卡在牙縫,請不要當眾剔牙。剔牙應該到洗手間。

J.吃喝不要發出唏哩呼嚕的聲音。

K.不要拿食物來玩。

L.如果掉了刀叉、餐巾或其他任何東西在地上,不要撿起來。把
　掉在地上的東西放回餐桌是很失禮很不衛生的。如果你把掉在
　地上的東西撿起來交給服務生,你就必須告退洗手,才能回來
　繼續用餐。最好的處理方法就是麻煩服務生換新餐具,把掉在
　地上的餐具留在原地。

M.吃所有的東西都要用餐具。只有以下這些食物可以直接用手拿
　著吃:
　　1.披薩。
　　2.培根。
　　3.餅乾。
　　4.麵包(如果餐廳給的是沒切好的,你就要撕一小片撕一小片

地吃。如果要塗奶油，絕對不要整塊都塗，只塗你撕下來的那一片，吃完後再撕另一片。）

　　5.玉米（啃橫的比一圈圈啃要得體）。

　　6.熱狗、漢堡、三明治。

　　7.薯條和薯片。

　　8.烤雞。

　　9.蘆筍。

　　10.葡萄、櫻桃等小顆的水果，還有蘋果、柳橙、香蕉等等。

　　11.包子、饅頭、飯團、關東煮、壽司、串燒、燒餅油條（這一條為經作者同意後，由中文版編輯所加）。

N.絕對不要手伸過別人的盤子去拿東西。你應該說：「麻煩把鹽遞過來好嗎？」

O.沒坐定，不要開始吃。

P.在餐廳用餐時，如果是一人一份，要等每人點的菜都上桌之後，才開動。

Q.絕對不要抱怨排隊排太長、東西不好吃、服務不佳、上菜等太久。不要讓你的抱怨破壞別人用餐的氣氛。

R.吃西餐時，如果你不確定要用哪一隻刀叉、哪一根湯匙，就從離盤子最遠的刀叉、湯匙開始。盤子的左邊，靠外應該是吃沙拉用的叉子，靠內則放著吃牛排或其他肉類主菜的叉子。盤

子右邊最外面放著喝湯用的湯匙，旁邊是攪拌咖啡或茶的小湯匙，再來是沙拉用的刀子，最裡面是吃肉的餐刀。盤子上方是吃甜點用的餐具。

S. 用餐完畢，不要把餐盤推到一旁。要把餐盤留在原位。如果想要表示你已經用畢，你應該把刀叉一起斜放在盤子裡。你應該把餐叉的尖齒朝下，把餐刀銳利的一面朝向你自己。刀與叉兩種餐具中，刀子應該要放得最靠近你自己。

T. 用過的刀、叉、匙應該要留在盤中或碟子裡，絕對不要放回桌上。

U. 不要把你沒用過的刀、叉、匙放在你用畢的盤中或碟子內，留在桌上原位就好。

V. 當你點菜、問服務生問題或向服務生道謝時，要看著服務生的眼睛。

W. 當服務生自我介紹時，要記住服務生的名字。在整個用餐時間，要用他的名字稱呼他。

X. 如果你必須去洗手間，應該起立說聲「失陪」，再離座。

Y. 被問到「你要什麼副餐」或「要搭配什麼醬汁」之類的問題時，最好先問：「有哪些選擇？」如此一來，你就不會點到餐廳可能沒有的東西。

Z.對服務生說話不要像對下人一樣。以尊重和親切的態度對待他們,而且切記,他們是裝盤並端食物給你的人,惹惱服務生對你是沒好處的。

我明白,期望孩子遵守以上規則可能有點過份,我卻發現孩子樂於學習餐桌禮儀,並身體力行。當大家走進餐廳看到我的學生把餐巾舖在大腿上、單手進食,屬行完美的餐桌禮儀時,總是震驚不已。在自助餐廳的世界,這簡直是匪夷所思的。

我記得我在初中時,我們家去參加表姐希莉亞的婚禮。我們在很高級的婚宴上,每一個入座的賓客都只是靜靜地坐在精緻擺設的餐具組前面,大家互不相識,說話有一搭沒一搭的。在桌子的中央,有一個碟子放著花朵造型的奶油塊。大約有兩分鐘沒有人說話,我媽好心要熱絡氣氛,就伸手去拿一塊奶油花說:「看,小隆,你喜歡薄荷糖嗎?」奶油花在她的指間融化,她才知道那不是薄荷糖,她尷尬的滿臉通紅,只好自我解嘲一番。很快地整桌的人都笑開來,我們最後度過一個有說有笑的愉快夜晚。

　雖然那次並沒太糟，我還是不希望我的學生落得像媽或我的處境，覺得不自在或不知所措。縱然孩子現在可能還不必坐在正式的晚宴上，但至少要為將來做準備。如果他們現在有機會參加正式晚宴，有學過餐桌禮儀的他們就不會覺得沒做好準備，或覺得困窘了。

★超基本 *30*

用餐完畢要自行清理。要清潔桌面,確定沒有留下垃圾在地上或附近。不論你身在何處,都要為你自己製造的垃圾負責,確定沒有亂丟,這很重要。

小孩子吃東西都會弄得亂七八糟。學校用餐時間一過,地上就會有餐巾紙、果皮菜渣,桌子也會歪歪斜斜的,真是讓人頭痛。如果允許學生在學校這麼做而不受處罰,他們就會把這種行為帶到速食店、小吃店、餐館去。我一定要學生在吃完飯時把周遭恢復原貌。撿起所有垃圾、擦淨桌子並確定垃圾桶附近沒有果皮菜渣。一開始,我必須每天提醒他們,可是幾個月後,他們就知道要在離開前收拾自己的垃圾。學年結束時,地上已經

找不到垃圾，因為他們已經學到，吃東西時可以更小心，這樣就不必擔心弄得一團亂，事後還得自己清理。

我一直討厭亂丟垃圾，不只是在吃東西的地方。我向學生強調，他們應該以學校和社區為榮，不只自己不要亂丟垃圾，還要撿拾別人亂丟的垃圾。我常常對孩子們做一些小測驗，看看他們是否堅守這條班規。我會在孩子抵達教室前，在教室四週放一些垃圾，然後觀察誰會把垃圾撿起來。在每一個孩子就座後，我就告訴他們，拾起垃圾的同學午餐時我會請吃冰淇淋。我一定也會點出明明有看到垃圾卻沒去撿的同學的名字。相信我，這招用幾週之後，地上就看不到一點垃圾了。

有一天，我提醒學生不要亂丟垃圾，一個名叫帕布洛的男生說：「克拉克老師，前幾天我和朋友去一家便利商店晃蕩，我們看到一個牌子上寫著：『勿亂丟垃圾』（No littering），所以那家店一定也很注意地上不要有垃圾。」在店裡立一個「勿亂丟垃圾」牌子很有趣，所以我下次到那家店就找看看這個牌子在哪裡。是有一個牌子沒錯，可是牌子上寫著的是「別來店中晃蕩」(No loitering)。我認為帕布洛一伙兒站在那裡閒閒的,一定沒亂丟垃圾,他們做的卻正是牌子叫他們不准做的。

重點是,學生注意到保持清潔的重要,並隨手帶走自己製造的垃圾。到學年結束,我總是以我的學生為榮,他們總會變得自愛自重,真心維護學校和社區的清潔,為學校和社區都贏得尊重。

★ 超基本 *31*

你在餐廳、旅館等場合所受到的服務，你要懂得惜福感恩。

我在美國所教過的學生都知道在餐廳用餐，付完帳離去前應該給服務生小費，搭計程車也應該給司機小費。我在本書的英文版中，就仔細向讀者解釋給小費的重要。但中文版編輯特別為這一條寫信給我，向我提出文化差異的問題。的確，我曾去日本旅行過，就發現給小費的習慣跟美國和西方許多國家不一樣。

在西方國家，給小費代表我們受到服務，要懂得惜福感恩。我最近和幾個朋友一起旅行，其中一個朋友羅伊德在離開房間前，留了十二美元在梳妝台上，給清潔人員。我問他為什麼要給這麼多，他告訴我說，他母親

在飯店工作，總是埋怨大多數人沒給任何小費，許多人只留下口袋裡的零錢。羅伊德說，他總是多留些小費，以彌補清潔人員在許多其他房間完全沒收到小費。對西方人來說，在旅館房間留下小費，代表我們對清潔人員的辛苦懂得感恩。

我教我的學生要給小費，是希望他們從小就能學會惜福感恩，永遠不要把接受別人的服務當做理所當然的權利。當我帶學生旅行時，我並不指望他們拿零用錢當小費。我們的所有旅程都有善心人士捐款，支付全部旅費，包括小費在內。

有些人覺得，在旅館房間留下小費，等於是把錢留給某個永遠不會見到面或有任何接觸的人，對方永遠不會向你道謝，所以何必這麼做？但我們應該要懂「種什麼因，得什麼果」。你應該善待每一個人，對你所受到的服務懂得感恩惜福，最後對你有益無害。

在你的國家，也許，餐廳和理髮院的帳單都已包含服務費，所以你們沒有另給小費的習慣。你們的文化中也不習慣給計程車司機小費。但是，如果你得到的是特

別的服務，例如，你搭計程車去一個不好找的地方，司機要頻頻停下來問路，或者你有很多行李，司機要特別下車幫你提大包小包，你到時候不多給司機一點，就真的很失禮了。

提到給小費，除非你自己曾經有過盼望客人多給小費的工作經驗，不然不會意識到給小費有多重要。比方說，我向你保證，如果你是餐廳服務生，你將會發現，給你小費給得最大方的客人，就是自己也當過服務生的那種人。

★超基本 *32*

搭公車或校車，總是面朝前方坐著。絕對不
要轉頭和其他學生交談，不要把任何東西伸
出窗外，不要離開座位走來走去。下車時，
一定要和司機說謝謝。

　　如果我自己不必開小巴士載學生出遊，這條班規對
我可能沒有那麼重要。開車載學生真是傷腦筋！駕駛一
輛大車已經夠難的了，又有這麼多學生的性命掌握在你
手裡，壓力好大。你最不願意的，就是三十名尖叫的孩
子分散你的注意力，讓開車更費勁。

　　我讀過也聽說過孩子把東西丟出窗外，打破別人車
子擋風玻璃的可怕故事。也聽過孩子在車上打起架來，
可是司機太怕事，不願介入，連停車也沒停。有時候東

西竟然會丟到司機身上，也有孩子會催司機掉轉方向，開到路外面去。我知道有一個老師的女兒，她的膽子竟然大到會從巴士的後窗露屁股給後面看。她真做了，結果後面那輛車的駕駛正是督學大人。天，真是敗給她。

校車常會鬧烘烘的，我擔心的是會導致司機分心。我可不希望讓我自己的孩子遇到類似情況。所以我盡量向學生強調安靜坐車、安靜複習功課、小聲交談的重要。我告訴他們，要避免引起其他同學的注意，不要害週遭的人分心，不管你是要轉頭，或做任何動作。

我也跟學生說，搭公車校車時該怎樣，搭計程車、飛機或其他交通工具也都一樣。要考慮到司機和其他乘客，盡量別製造噪音，不要引發任何騷動，這是對人的一種尊重。還有，不論什麼狀況，都要跟司機說謝謝。

★ 超基本 *33*

到校外進行戶外教學時，我們會遇見不同的
人。當我介紹你們認識這些人時，你們要記
住對方的名字。大家離去時，一定要握手道
謝，記得要稱呼對方。

　　我帶的班第一次應邀前往白宮，柯林頓總統伉儷抽
空與每一個學生和同行的家長握手。我注意到，希拉蕊
牢記每個學生的名字，我們告辭時，希拉蕊向學生們道
別，又叫了每一個孩子的名字。我覺得她好厲害，可是
事情並未就此結束。兩年後，我又帶了一群不同的學生
到白宮，我們又和希拉蕊談話。她不只再度快速記住每
一個孩子的名字，也問我以前一些學生的近況，名字她
都還叫得出來。我確定一部份是因為希拉蕊有絕佳的記

憶力，但我也注意到她做了一件事：她無論是被介紹認識了誰，她一定會禮貌地答話，答完一定稱呼對方的名字。這麼做強化了她對對方名字的記憶力。於是我開始教學生也這麼做，我們這麼練習：

克拉克老師：「各位同學，很高興向你們介紹華勒士先生，這家劇院的老板。」

學生：「很高興認識華勒士先生，感謝您帶我們參觀劇院。」

然後，告辭時……

學生：「華勒士先生，我再度代表全體同學感謝您今天的熱情招待。我們大家都學到許多關於劇院的作業流程，以及舞台劇在電影業扮演的角色。再次謝謝您。」

我和學生演練了許多次，給學生充分的練習。

你叫得出別人的名字，對方就會更尊重你。記不得別人的名字會使得場面尷尬。這條班規就是要避免出現那種窘境。一知道對方的名字就盡快稱呼他，這樣你就比較不會忘記。

　　也要記得：如果在你坐著時，我介紹一個人和你認識，這時你一定要站起來握對方的手。有人被引介給你認識，你仍坐著不動是很失禮的行為。

★ 超基本 *34*

有機會讓你拿東西吃時，不論是「吃到飽」
的自助餐還是班上有人請客，絕對不要貪多
拼命多拿。不只是因為吃不完會浪費，也因
為你如果沒有留下足夠別人吃的分量，是很
失禮的行為。

我第一次帶學生去「吃到飽」餐廳時，看到他們在
盤裡拼命堆食物，看得我好震驚。我們是在披薩店，學
生回到桌位，盤中竟然裝了五、六塊披薩。從此，我就
限定學生在盤中可以盛裝的分量。我說，食物不能覆蓋
盤子超過四分之三面積，而且不能重疊堆放。可是當孩
子飢腸轆轆時，這條班規執行起來真的很困難。

　　我們去迪士尼參加「全美最佳教師獎」頒獎典禮時，我走上講台發表得獎感言，帶了四個學生一起上台。得獎讓我有許多理由感到興奮，其中一個很有趣，因為我總是納悶得獎人在後台要幹嘛。我一直想知道：「誰在後台，他們在做什麼？」當孩子們和我到達後台，我很高興謎底終於揭曉。一邊有記者做採訪，一台大螢幕電視實況播出頒獎，還有一個複製得一模一樣的舞台，讓我們站上去拍照。此外，有一個餐點區，在我接受訪問時，我的學生可以去裝一小盤食物。突然間，一位女士向我走來說，我們必須快點回到台前的座位，因為下個獎快要頒獎了。我叫孩子過來，說我們必須快點回座位時，我驚訝地看到薩布琳娜手上的盤子竟然堆了九隻辣雞翅。我說：「薩布琳娜，我真不敢相信！你忘了第三十四條忌貪嘴！」她答說，她肚子很餓，可是我告訴她，我們沒時間吃了，我們必須回座，我要她把雞翅倒掉。她照著我的話做，我們就往座位方向走。我們穿過一排又一排，經過知名電視主持人歐普拉和迪士尼董事長艾斯納這類的貴賓旁邊時，我微笑點頭致意。我

回頭看到我的三個學生布拉德、大衛和崔佛，他們也都很優雅地點頭微笑，薩布琳娜在後面，起初也面帶微笑，後來卻偷偷摸摸咬了她手中還握著的雞翅一口！

　　即使第三十四條執行起來未必每次都理想，但孩子還是會懂，儘量做到不要貪吃。有時我請學生們吃米餅或巧克力餅，就會有學生仔細打量，設法挑一塊最大的。如果我注意到有學生那麼做，我就會跳過這種學生，等到其他學生都拿完，才輪到他們拿。舉辦披薩派對時，我也這麼做。總是會有學生在找最大塊的，我必須一而再、再而三地搬出這條班規，提醒學生不是只有他們肚子餓，不是只有他們想要吃大塊披薩。我花了一番時間教他們犧牲對最大塊的渴望，以尊重他人，而且不要假設自己應該得到最大塊。在說明為什麼拿較少的分量比較有禮貌之後，我總是會獎勵努力實踐的學生。譬如，如果我看到有學生刻意挑最小塊的披薩或巧克力餅，我會在其他人都拿了一塊之後，補給他一塊，因為他拿的第一塊太小了。這樣有賞有罰很有效，一陣子過後，大多數學生就會先為別人著想，然後才想到自己。

★ 超基本 *35*

**不論我們是在校內，還是出去做校外教學，
如果有人掉了東西，請幫忙撿起來，並物歸
原主。即使物主比較靠近東西掉的位置，你
還是要彎腰幫忙撿，這樣才顯得有教養。**

最近我走出百視達錄影帶店時，我的金融卡和駕照
從口袋中掉出來。我還來不及彎下腰，約十呎外就跑過
來一個小男孩，撿起掉在地上的東西，並交給我。我很
驚訝也很高興，大聲向他道過謝，就環視四週找尋他媽
媽。他媽媽一直都在看著他。她看起來絕對是一個有教
養的女士，小男生的禮貌一定來自於媽媽的教導。遺憾
的是，很多父母並不了解這樣教的必要，我們的學生才
會忽略這類基本的小小貼心。

　　在課堂上，有學生的鉛筆滾落，卻沒人幫忙撿，我總會抓狂。掉鉛筆的孩子必須站起來，走到附近把鉛筆撿起來，別人好像都沒這回事，我說我多麼期待同學都幫忙撿拾別人掉的東西，他們果然不負所望，執行上也沒有問題。一陣子過後，他們就習以為常了。有一次，我們舉辦校外教學，到紐約市的時報廣場看一場表演，一位女士隨手把抽完的菸盒丟在地上。我們班上一個小女生喬絲琳跑去把空菸盒撿起來，並追著女士說：「這位太太這位太太，你掉了這個！」女士看著喬絲琳，好像當喬絲琳是神經病，只好把空菸盒放回口袋裡。撿拾別人的垃圾並不是我的本意，可是我認為喬絲琳的舉動應該是給這位女士上了重要一課。

⭐ 超基本 *36*

如果你走進一扇門，有人在你後面，你要幫他扶住門。如果門是用拉的，你就拉開門，但自己先不進去，扶著門在旁，禮讓另一個人先行，你自己再進去。如果門是用推的，你自己就先進去，再幫後面的人扶住門。

看著孩子們在學校爭先恐後擠著進門，進入餐廳就不管後面直接把門關上，我看他們看了好幾個禮拜，知道我必須跟學生討論這種行為。教他們禮讓別人之類的小小貼心，看似微不足道，卻能夠幫助學生了解如何尊重他人、體貼別人。如果我們不教孩子，他們大多數沒辦法自己領會。即使是「幫別人拉住門」這麼簡單而且基本的規則，我的學生仍有許多疑問，令我感到震驚。

他們需要聽我解說何時要把門拉住，應該站在旁邊多久、是
否應該說任何話、拉住門時又應該站哪裡。他們急於知道應
該怎麼個做法。我發現，幾乎所有班規都出現這樣的情況，
學生希望我說清楚、講明白，教他們對人應該怎麼表示尊
重。一旦我說清楚、講明白，就已經成功一半。

★ 超基本 *37*

如果有人撞到你,即使不是你的錯,也要說:「對不起。」

在學校裡,一個小小的碰撞常常會導致第三次世界大戰。這條班規就是為了化解那種爭端。第一次告訴學生這條班規時,我也不知道會有多少效用。可是經過一個月的練習與提醒,就讓比我高大的男生說「對不起」的聲音此起彼落了。

當我的學生從紐約搭機飛往洛杉磯,參加「全美最佳教師」頒獎典禮,是由副校長卡斯提洛女士和一群老師和家長陪同。我已經比他們先飛幾天。搭機的前一個禮拜,我就在課堂上幫他們練習搭機禮儀。我把教室座位排成飛機走道,我扮演空服員,走在座位間提供學生

要求的服務，並檢查學生的安全帶。我很希望他們循規
蹈矩，可是沒有我的引導，我十分擔心。我人在機場等
他們時，第一批下機的旅客環顧四週說：「這位克拉克
老師在哪裡？」我心想：「天！我的學生到底闖了什麼
禍？」每一個下機的旅客都想要和我握手。他們說，當
他們看到這些孩子上機時，心裡就在想這趟飛行將是一
場惡夢，可是孩子在整個飛行時間是如此彬彬有禮，斯
文自重。機長甚至還廣播，稱讚這班學生多麼守規矩。
最近，對每一個人來說，搭飛機都是一種苦差事，大家
當然要盡量幫同機旅客著想。

　　對我來說，最重要的讚美是來自一位女士，她說：
「我只是想要你知道，你的學生有超過一半經過頭等艙我
的座位時撞到我的手臂，他們每一個人都有轉頭說對不
起。」

★超基本 **38**

當我們舉辦校外教學時，進去任何場所都不可以講話。大家就悄悄地進去，安靜到沒人注意到我們的存在。無論是電影院、教堂、劇院或任何人群聚集的場所，都適用這條班規。

我相信大多數老師帶學生去校外教學時，都想盡辦法要讓學生在進入公共場所時安靜無聲。在還沒去以前就說出你的期望，會比到了再要大家安靜更容易讓學生做到。我的學生也知道，在坐地鐵、進入餐廳或任何公司機構，都要躡手躡腳像老鼠一般。這幾年來，我們讓許多不認識的人大吃一驚、表示欣賞感激。大多數人在看到一大群小孩走來時都會想「快點找掩護」，可是我們

卻常常出乎別人意料之外，因為我們一路上靜悄悄，學生全都進門來了，別人才發現我們到了。

在紐約市，我曾帶班上學生到時報廣場附近去看一場演出。抵達劇院時有點遲到，當時大約有其他二十幾班在外面排隊等著進場。別的學校的學生不守規矩，喧譁吵鬧。我要我的學生排好隊，要守秩序。我說，我們不要像其他班。不久我們開始魚貫進場，現場十分混亂。這時有一位女士試圖編隊，帶學生入座，可是到處都是學生，沒有人知道該往哪裡走。我班上的學生遵守規則，排成兩排走進去，沒有發出一點聲音。我們站在最後面靠近門的地方等候。突然間，負責入場的女士注意到我們，走來問帶隊的老師在哪裡，我舉起手，她說：「非常非常高興認識你，請往這邊走。」我們率先進場，坐在最前排。

有時替人著想似乎看不出什麼用處，尤其是你認為周遭都不把禮貌當一回事時。可是通常，就是在周遭都不把禮貌當一回事時，替人著想的行為反而最受到別人的欣賞與肯定。

★超基本 *39*

進行校外參訪時，不妨讚美一下我們正在參
觀的地方。譬如：如果參觀的是別人的家，
讚美他家的窗簾很漂亮，聽起來就會讓人覺
得很窩心。有客人來家中，主人多少會有點
不自在，你的讚美可以讓主人放輕鬆。此
外，如果我們在參觀博物館或劇院等場所，
稱讚建築很有格調，或是跟導遊說整個設施
很棒，都是一種禮貌。

當我到學生家做家庭訪問時，我總是設法讓家長覺
得自在，並盡可能讓他們可以放輕鬆。他們都會為老師
的到訪花時間打掃準備，我希望他們了解，我感謝他們
的努力，對他們家的裡裡外外也頗有好感。當我走進

去，我發現我喜歡或有趣的東西時，一定會讓他們知道。這樣，可以讓他們自在，也放輕鬆。

我很少在校外教學時帶孩子去參觀誰的家，可是偶而會有這個需要，我都會要求他們記住這條班規，在適當時候應該稱讚一下別人的住家。有一次，我們參觀了一個很重要的住家，就是美國總統住的白宮。我的三個學生布萊恩、艾希莉、奇亞塔即將晉見總統。在等待進入大名鼎鼎的橢圓辦公室時，這三名學生與總統的助理交談。布萊恩說：「這樣的住家真好，那幅描繪革命戰爭的畫作很壯觀。」總統助理都對布萊恩的禮貌週到和他對白宮畫作的瞭如指掌感到相當訝異。這三名學生必須在行前就記住白宮的所有藝術品，到頭來反而是我的學生當起總統助理的導遊，說他們在行前準備所學到的點點滴滴，把白宮的趣聞說給總統助理聽。

當我們進行類似的校外教學時，我總是確定學生事先做過功課，他們事先就知道會參觀到什麼，我並舉例說明哪些是他們可以讚美的事物。可能有人會說，他們說的話是我放進他們嘴巴的。但是，他們本來就是孩

子，我是他們老師，他們需要練習。我只是把他們離開

學校沒有我教以後還用得到的工具送給他們。

★ 超基本 *40*

**全校集會時，不要說話，不要東張西望，也
不要試圖吸引別班朋友的注意。我們所呈現
出來的形象，就是自愛、自重！**

我還記得學生時代，我最愛全校集會了。當了老師
之後，我卻最恨全校集會。集會把一整天都破壞了，讓
學生脫離正常的課業表，製造許多調皮搗蛋的機會。其
實，這些正是我在學生時期喜歡集會的原因。

為了使集會的過程更能忍受，我一一向學生詳細說
明大家在禮堂時我對他們的表現有什麼樣的期待。開學
第一天，我講到這條班規時，我就請學生排隊走進禮
堂。他們列隊走進我們的指定座位，臉朝前方，坐下時
雙手放在大腿上。沒有人把手臂放在座椅的扶手。然後

我去坐不同的地方，一下坐這邊一下坐那邊，叫學生的名字，對他們丟紙團，竭盡所能吸引他們注意。學生就這樣練習全神貫注、臉朝前方，不交談。

在我們學校有集會的日子，我提醒同學平時做過什麼樣的練習，他們也記得很清楚我對他們有什麼樣的期望。他們總是表現出最好的一面，即使是在鬧哄哄的禮堂中央。

★超基本 *41*

當你在家接聽電話時，一定要應答得體。

如果沒教，小孩子的電話禮儀都糟透了。我說不出有多少次我打電話到學生家，聽到他們接電話時說「啊哈？」或者「耶？」當我說我要找家長時，通常得到的回答是：「你是誰？」當我告知我是誰時，學生會變得很安靜，然後扯著喉嚨大喊：「媽！老師打電話找你！」

我清楚告訴學生接聽電話的禮儀：

第一：說「喂」或「喂，你好，這裡是克拉克公館。」

第二：對方將會詢問某人在不在，你應該回答：「她在，請問是哪一位找她？」

第三：告訴對方：「請稍侯，我去請她來聽。」

第四：讓電話轉成靜音或是用手遮住話筒，並告訴對方要

找的人是誰打電話找她。

如果對方要找的人不在家，我說，一定要有紙筆在電話旁邊。這時的對話應該像這樣：

第一：說「喂」或「喂，你好，這裡是克拉克公館。」

第二：對方將會詢問某人在不在，你應該回答：「抱歉，她不在。你想要留話嗎？」

第三：如果對方不想留話，你可以說：「好的，她應該在幾個小時後回來。你可以再打來試試看。」

如果對方想要留話，你可以說：「好的，我可以記下你的姓名和電話號碼嗎？」你一定要唸一次電話號碼給對方核對，好讓對方知道你真的抄下來了，而且確定你抄的號碼正確無誤。你在結尾時可以說：「我會讓她一進來就收到你的留言。再會！」

人們打電話到你家會留下初步的印象。從他們在電話另一端聽到的第一句話，就會在心理勾勒出你家的樣貌以及你家裡發生什麼事。我們最不希望發生的事情就是當電話響起，不論來電者是同事、收費員、朋友或任何人，讓他們對我們人或我們家留下不好的印象。

★超基本 *42*

校外參訪結束，你們要握一握我的手以及每一位隨行老師或家長的手。要說謝謝我們花時間帶你們出來，要說你很高興有這次參訪機會。我關心的不是我自己是否被感謝，我是要教你在有人撥出時間精力為你付出時，你要適當地表示感恩。

我記得在我的成長過程中，爸爸媽媽總是提醒我要謝謝老師、童軍團幹部或幫過我忙的其他大人。如果我在一位朋友家過夜，我必須感謝朋友的父母讓我留下、為我煮晚餐，以及他們為我做的一切。爸媽總是叮嚀我，在校外參訪或老師為我做過什麼付出之後，一定要謝謝老師。這很快變成我根深蒂固的習慣。

我開始教書時，發現大部份學生之前都沒有被教導

過要有這種禮貌，我非常吃驚。有時要求學生感謝我為他們做了什麼，我會覺得難以啟齒，可是為了讓他們習以為常，我只得如此。在多次練習後，仍有學生忘記感謝我和其他的隨行老師。在孩子習慣之前，我們反覆加強練習。在哈林區有一個名叫泰隆的學生是個例外。他的操行和功課在班上並非最好，可是每一次我帶學生去紐約市各地進行校外參訪，一定有他同行。這麼做是因為每次回來，他總是真心感謝獲得邀請，一定會握住我的手，看著我的臉告訴我，他玩得很愉快，很感謝我付出的時間與心力。他從來沒有忘記謝我，所以我從來沒有忘記讓他參加。

★超基本 *43*

進行校外參訪，要搭電扶梯時，大家要靠右
邊站，讓趕時間的人從左邊通行。當我們要
進入升降梯、地鐵、進出口時，都要先等裡
面的人出來，我們再進入。

　　大學畢業後我搬到倫敦，看到地鐵的每一個人都彬
彬有禮，讓我大吃一驚。當我到日本旅行時，我的印象
更深刻。在倫敦和日本，民眾都格外注意讓路給別人，
並注意別人的空間。搭乘電扶梯時，每個人都靠右站
立，左邊讓人行走。搭升降梯時，每一個人會靠邊站
立，外面的人一定會禮讓裡面的人先出來，他們才開始
進入。一切都井然有序，大家都了解這個制度。在日
本，地鐵的門開啟前，等地鐵的旅客都會排好隊，魚貫

進入車廂，不會有任何推擠。你能想像，我要怎麼向紐約市中央車站等搭地鐵的旅客解釋，大家應該排隊呢？

今年我到美國各地旅遊，有時在公共場所未受到足夠的尊重，總讓我感到沮喪。我印象最深刻的，就是大多數人似乎不知道搭電扶梯時必須「靠右站，走左邊」。每當我擔心搭飛機或開會遲到，想要順著電扶梯往上走時，左右兩邊卻都站著人。有時我真想大吼：「靠右站，左邊讓人走！」謝天謝地，還好我克制住這股衝動，只是清楚地向我自己的學生說明「靠右站，左邊讓人通過」的道理，希望他們能夠幫忙落實，並了解尊重他人空間的重要性。

超基本 44

**排隊時要排成一列，距離前面同學兩、三呎
（七、八十公分），雙手垂兩側。臉朝前，絕
對不要說話。**

　　我在北卡州教書的第一天，我知道其他教師與校長
都很想看看，這一班遇到我這個菜鳥老師會亂到什麼地
步。校長曾警告過我，這一班有多麼亂，多麼不守規
矩，我在前一天也已經看過他們穿過走廊進入學校餐廳
的亂象。我知道當我帶他們走過走廊時，我必須證明我
管得住這一班。我必須讓他們排隊排得整整齊齊。

　　當我們開始排隊時，學生零零落落，談天說笑，毫
無秩序可言。我必須有所行動，所以我說，要等他們排
好隊而且保持安靜，我們才會去吃午餐。我很快明白，

我們要等相當一段時間才會去餐廳，因為孩子都沒有把我的話當真。我說，只要有人說一個字，大家就要等整整一分鐘才會出發。一個女生問：「做啥？」（Do what?）我就說：「那要多等兩分鐘。」有人叫喊：「閉嘴，因為我餓了。」我說：「無妨，再多加七分鐘，而且你們要感到高興，因為我沒有把縮寫 (I'm) 算成兩個字。」等了大約三十分鐘之後，餐廳的總管布雷利太太過來走廊找我們。她相當堅持要依照時間表用午餐，她一定認為我瘋了。但是我堅持我的原則。等到我們終於列隊走過走廊去吃午餐，已經比原定時間晚了四十五分鐘。我走在最前面，倒退著走，如此我可以看到全班。隊伍中沒有人出聲，我們經過辦公室時，我看到孩子都在看我背後的什麼。可是我不能轉身，所以我必須等到最後才知道他們目不轉睛看的是校長。校長站在辦公室門口，面露不可思議的神情。

從那一天起，我總是要班上學生在教室外面都能維持秩序。我讓他們列隊以整齊的步伐前進的方式，使他們看起來像小小阿兵哥。有人可能說，要學生以這種行

軍的方式前進，是軍國主義的做法。可是我卻認為，小
孩是喜歡這種秩序的。他們似乎都很喜歡排隊，列隊整
齊的模樣，他們也覺得引以為榮。

　　當我剛到紐約市哈林區的八十三號公立小學時，我
看到學校教學生排隊要排成兩排，女生一排男生一排。
那比我偏愛的排一排更亂，因為一排容易管理得多。讓
學生肩並肩站，只是自找麻煩。可是我已經學會有時不
要太堅持已見，因此我決定不要求我的學生排成一排。
我不在意偶爾與周遭唱反調，可是這次我認為排兩排，
狀況會比較容易處理。我依照學校的要求，可是為了讓
學生更有秩序，我必須增加規定。因此，我規定孩子們
要以排一排時我會要求的那種秩序前進，而且無論何
時，走到門口要進門時，要讓最靠近牆壁的那一排先
走，另一排要站在走廊中央呈一直線，留在原地先不
走。然後我會抬高嗓音喊說：「預備 —— 向右跨步——
走！」剩下的那排學生立刻整齊劃一地右腳跨一步到牆
邊。看到他們邁出如此俐落和整齊的步伐，真是棒極
了。然後我會喊說：「預備 —— 向前——走！」隊伍於

是魚貫進入教室。孩子很喜歡這樣。你可能以為孩子會抗拒保持肅靜、守紀律和守秩序的要求，他們卻是樂在其中。別班的學生都問他們的老師是否可以學我們班，有些老師也如法炮製。

★超基本 *45*

絕對不要插隊。如果有人在你前面插隊，不要說什麼或做什麼。就讓那個人插隊，但要讓我知道這件事，我會處理。如果你打抱不平，可能會惹上麻煩，那不值得。只要讓我知道就好了。請以同樣的方式處理同學之間的所有紛爭，在你自己解決任何問題之前先來找我。

在我教書的頭幾年，我注意到似乎捲入最多是非的都是那些好打抱不平，制止真正犯錯的學生。舉例來說，詹姆斯可能在喬的面前插隊，喬發出不平之鳴，並引發一陣騷動。喬通常會發脾氣，大呼小叫，他就成為引我注意的人，也就是惹麻煩的學生。我希望找到一個

方法，可以避免孩子們以不當的方式自己解決問題。我要學生來告訴我發生什麼事，我會安靜處理。我說，如果他們爭執或吵架，受到的處罰反而會比犯錯的學生受到的處罰更重。

我知道你可能認為，學生總是依賴大人來解決問題未必是最好的做法，孩子應該學習自己解決紛爭，可是我的理由是：基本上，只要學生知道不能因為別的學生對他做了什麼就大呼小叫，不然我將會罰得比犯錯學生更重，那麼，那些想要自行處理的學生現在只會有兩種選擇：

#1. 他們可以來找我，告訴我出了什麼問題。你可能認為這是學生最常有的反應，可是事實不然。大多數孩子選擇第二種。

#2. 學生悄悄自行處理，不喧嘩也不引發騷亂。他們知道必須安靜，不然也會因為處理不當而受到處罰，因此他們學會以更成熟和更有條理的方式處理糾紛。

當你帶著一班三十多個孩子一整天，一週五天，你

一定要使用各種方法讓他們和平共處，上課的時候上課，玩的時候玩。我試過所有辦法，以上方法似乎最有效。孩子發現，在需要時就尋求協助，這樣很好，可是如果能夠自己有效的解決問題，收穫則更大，即使只有孩子自己一個人心中有數。

★ 超基本 *46*

到電影院看電影時，無論如何都不要講話。
我不管電影有多好看，也不管你要告訴旁邊
的人什麼事，連悄悄話也不行！不可以把腳
放在前面的椅子上。如果要吃東西，必須盡
可能不出聲。如果買了一包糖果想在看電影
的時候吃，你要在開演前就打開包裝。電影
看一半時打開糖果袋，是會吵到別人的。看
電影時開著行動電話或呼叫器，也很失禮。

當我向學生解釋在電影院中應有的表現時，他們並
不了解為什麼有問題或想要發表評論時不能夠說話。他
們不明白為什麼肚子餓時不能打開糖果袋，也不懂坐得
不舒服時為什麼不能把腳放在前面的椅子上。可見這條

班規的好處對他們來說並不是那麼明顯。可是一旦我訂下這條班規，他們居然都做到了。

賣座電影「驚聲尖笑」（Scary Movie）中有個女孩在看電影時講行動電話講個不停。周圍的人不斷叫她安靜，她回說：「我和其他觀眾一樣都付了錢。」這一幕很好玩，遺憾的是，這正是許多人的態度。最近我和朋友愛莉卡去看電影。她知道我堅持在電影院應有禮貌，也向我保證已經關掉行動電話。我們坐在客滿的電影院裡，我卻突然聽到愛莉卡在低語。我以為她在和鄰座的人說話，正準備用手肘輕推她，提醒她保持安靜，才注意到原來她在講的是行動電話。她看著我，意會到我不高興，隨即低聲對我說：「我已經把電話轉到振動顯示了。」

要人人遵守電影院禮儀似乎不可能，可是我希望告訴孩子，好的表現能夠讓許多人覺得看電影是美好的經驗。我第一次帶著哈林區的學生去看電影，整部片子放映時都有學生在講話。學年快結束時，整個情況改觀了。我們去看一齣電影，在新片預告時，有一家三個小

孩和母親坐在我們後方，他們不停的說話。我一直想要讓那位母親注意到我臉上的不悅，可是她就是不看我。我的學生靜靜地坐著，全神貫注，設法不理會他們的噪音。最後，預告片快結束時，一群學生過來跟我說：「克拉克老師，我們可不可以換位子？」我覺得是個不錯的主意，我們三十七個人全都起立，走過走道，換到電影院的另一個區域。我不確定那位女士是否注意到這個暗示，可是那不重要。重要的是，我的學生知道那位女士和她家人的行為是不對的。只不過在幾個月前，他們還認為那樣很正常，自己還有過相同的行為。

★超基本 *47*

不要帶零嘴「多力多滋」到學校。

即使這條班規對你可能不合理，對一般人也沒什麼意義，但我認為不把它納入就無法寫一本關於我的五十五條班規的書。到目前為止這是引來最多討論的班規，引來的評論與質疑比任何班規都多。首先我要說明，我是怎麼向學生解釋這條班規的，然後我再說出背後真正的用意。

我告訴學生我小時候的一個真實故事。我媽買了一包「多力多滋」給我們姊弟，我們放學後可以邊吃邊看「石頭族樂園」卡通。我姊姊妲喜很貪心，總是從袋子裡拿出一片，把所有的乳酪舔掉，再放回袋子裡。她知道那樣做之後，我絕對不會把手伸進袋子裡去，這樣她就

可以獨享一整包。當我敘述這個故事時，我儘量誇大這件事對我的影響，我告訴學生，直到現在我都無法忍受再看到「多力多滋」。事實呢？並非如此。基本上，我只是想要訂出一條有點特立獨行、有點幽默的班規。這小小的個人色彩，把整部班規變得既奇特，又有點搞怪。學生還滿喜歡這條班規的。

這條班規當然引起過騷動，學生也會議論。每年總是有學生不滿不能帶「多力多滋」來在午餐時間吃，但是我一再警告他們帶「多力多滋」來學校的後果。有些學生就故意測試我，我一看到他們帶了「多力多滋」，我就走過去面露誇張的厭惡表情，從桌上抓起這包「多力多滋」，走到垃圾桶，撕開包裝，把脆片全都倒進垃圾桶。有時在課堂上，我注意到有學生的書包露出一包「多力多滋」，我就走到黑板前面，像沒事一樣繼續教課。突然間，我會猛猛的轉過頭來，面對全班說：「通通都不許動！」然後我開始用鼻子聞，慢慢的右邊嗅嗅，左邊嗅嗅。「安靜！」我的鼻子帶領我走到正確方向，終於「阿哈！」我「發現」了多力多滋，再來就踢

正步走到垃圾桶，狠狠把整包壓碎，學生都很樂，信不信由你，即使失去這包點心的學生也一樣樂。順道一提，在紐約有一種說法，克拉克老師可以在五十呎外嗅到「多力多滋」。

曾有其他老師運用我的班規和方法，後來過來找我說：「克拉克老師，我告訴孩子不要帶『多力多滋』來學校，可是我真的不了解原因何在。」我通常只是哈哈笑，然後解釋箇中原因。我告訴這些老師，他們必須發明自己的第四十七條班規，注入自己的個人特色。他們也應該制定屬於自己的班規。

我最近帶以前教過的一群學生去夏令營。六年前我教過他們，之後仍然保持連絡，而且很親近。我們在一家便利商店停下，每位學生都可以買一瓶飲料和一種零嘴。大家又上車時，我注意到有個女生帶了一包「多力多滋」，臉上帶著頑皮的笑意。我很快地奪走她手中的「多力多滋」，走到一個垃圾桶，用雙手轟一聲壓碎整包，大家都樂不可支。我對女生說：「莎賓娜，為什麼你要買『多力多滋』？」她答說：「我就知道你會要

寶，犧牲一包零嘴來回味一次是值得的。」孩子很喜歡變些花樣，喜歡搞怪。我用耍寶來執行這條禁帶「多力多滋」的規定，使我訂的整套班規變得更奇特，更令人難忘。

★超基本 *48*

如果有任何同學找你麻煩，讓我知道。我是你的老師，我本來就應該照顧你和保護你。我不會讓學校裡的任何人欺負你或讓你覺得不舒服。相對的，我要求你不要自己處理；讓我處置這個學生。

這是為課堂提升士氣和增進友愛的重要班規。我要孩子在學校中覺得安全，認為我是那種會在適當時機挺身而出為他們而戰的老師。有些人可能說：「克拉克老師，你應該讓孩子自己的仗自己打。」我的答覆是，今天的孩子已經有夠多的仗要打了，如果我插手幫忙處理一些，有何不可？我知道如果我是學生，知道有誰騷擾我時，都會有人來幫助我，我會很安心。

　　我記得在我讀六年級時發生一件事。我踩到莉莎‧泰普的靴子，她十分生氣，說要找朋友來揍我一頓。我告訴我姊姊姐喜，她正讀中學。我們兩所學校位於同一個校園，次日姐喜就出現在我的教室門口。她告訴烏拉德老師說，校長室有重要的事要找莉莎。莉莎走出教室站在走廊，直到現在我都不知道姐喜對她說了些什麼，但莉莎走回教室時，臉色白得像張白紙。姐喜帶的口訊顯然不是來自校長室，而是她自己。她已經處理了這件事，從此之後我再也沒有聽到莉莎說狠話嚇我。

　　我也希望為我的學生出同樣的力。我希望學生知道，只要他們在我班上一天，我就會保護他們，照顧他們。只要學生讓我知道學校裡有誰欺負他們，學生都知道我不會容忍，我會立刻處理。我會盡快把兩個學生叫來，通常約在另一個學生的教室外面。我記得有一次在哈林區，我的學生傑瑞米告訴我，有個名叫馬克的別班學生罵他。下課時間，我帶著傑瑞米走過走廊，把馬克從他的班上叫出來。我告訴馬克我聽到什麼，想聽聽他的版本。馬克否認有任何的不對，可是我的反應依然相

同。我挑起眉毛，堅決地看著馬克眼睛，咬牙切齒的說：「聽好，我不管之前發了什麼。我只管一件事，同樣的事情絕對不准再發生。你不是我教的，我還是要在這裡告訴你，你看到站在這裡的是誰嗎？他是我的學生，在我那班上課，你不可以對他說些有的沒的，也不可以取笑他，不可以欺負他，如果你那樣做，我不會善罷甘休。聽清楚了嗎？」然後我轉頭看著傑瑞米，也告訴他不可以惹馬克。我說，如果他對馬克做任何事，我也不會罷休。把兩名學生都訓一番，這樣是為了平衡，看起來我是一視同仁地處罰兩個學生。我不希望我好像在袒護我自己的學生，好像傑瑞米無法處理自己的事。那可能讓傑瑞米難堪，反而把事情搞更糟。

我再也沒有處理過馬克與傑瑞米之間任何問題，我可以斷定，我信任傑瑞米，為他出頭，對他很重要。那種來自大人的支持對孩子意義重大，可以大大增進孩子對大人的信任。

⭐超基本 *49*

捍衛你的信念。如果你全心全意相信自己的
方向沒錯,就不要因為別人的否定而畏縮。

常常,我想要做某件事,身邊的每一個人都很不以
為然,告訴我不應該去做,這樣的次數在我一生中簡直
多得數不清。有一次,是我想搬到紐約市,到最貧窮的
哈林區任教,爸媽和朋友卻全都告訴我這樣太冒險,太
瘋狂。偏偏我就是有強烈的預感,認為我應該那麼做,
所以我就做了,結果那是我一生中最棒的決定。

我希望學生也能抱持相同的決心與信心。如果他們
想要做某件事,或者強烈擁護某種主張,我希望他們有
勇氣和信心,去捍衛自己的信念,為自己的理念奮戰。

身為老師,我必須在別人看法不同時,不停地捍衛

我的理念，面對一個接一個的衝突。我準備要帶學生出席「全美最佳教師獎」頒獎典禮時，我希望男生都穿燕尾服，因為我不想要他們在一個其他所有男性都穿燕尾服的場所感到不自在。我找到一家公司贊助買燕尾服的錢，校方卻覺得那樣很浪費，校長堅持錢不應該是那種用法。她要我把錢還給那家同意出錢的公司，她說她不會改變心意。可是我堅持立場，加上別人幫腔，終於說服校長。在頒獎典禮那晚，我看到這些男生的表情，知道之前的抗爭是值得的。他們全都很興奮，為光鮮的穿著感到自豪。對他們來說，這是特別的時刻。如果當初我應校長的要求，讓他們只穿襯衫和家常褲，他們在那種場合就會覺得格格不入很自卑。我絕對不要我的學生在任何場合覺得低人一等。

身為老師，有時你不只要捍衛你的信念，還必須言出必行。我記得，我剛開始教書時，只有一些學生會每天帶家庭作業來學校，我知道必須想辦法教學生更有責任感。於是我發給全班一小張藍色紙，交代說，隔天沒帶來的同學都要留校一小時。我知道這樣很怪，可是怪

就是我要的。我必須想辦法贏得學生的注意，幫助他們養成做作業的習慣，如果方式是要他們交回一小張藍色紙那又怎樣。基本上，那是一份有關責任感的作業。當然，學生並不了解背後的邏輯，但是我說忘記帶的同學就要罰放學後留校一個小時，他們都知道我是說真的。此外，我們班是一個團隊，這是一項我們大家都可以完成的作業。我說：「你不會想當那個忘了帶藍紙來的唯一學生，害全班不能有個作業都交齊的完美一天。」

隔天，每一個學生都交回藍色紙，除了一個之外。這個學生南西湊巧是班上最聰明、最循規蹈矩的學生。她是一個乖巧的女孩，每一次都交家庭作業，我猶豫是否要罰她課後留校，但是全班都在看我如何處理這個狀況。如果我不罰南西留校，學生就不會再把我說的話當一回事。我無法收回我說過的話，所以我寫了一封留校的通知函，讓眼淚盈眶的南西帶回家。

次日早晨我走進學校，就遇到我的阿姨卡洛琳，她是學校的秘書。她一臉驚嚇，拖著她的南方口音說：「隆，快快回家，就說請病假。」我問她在說什麼，她告

訴我說，南西的媽媽在校長室，氣沖沖地找人理論。即使我想聽從阿姨的建議回家，但我知道我必須勇敢承擔，到校長室報到。我邊走邊問自己：「隆，你到底在搞什麼？一張藍色紙當家庭作業實在太荒謬了！」當我走進校長室，南西的母親伍森女士用仇恨的眼神看著我，我嚇死了。我們兩人都被校長叫進去，校長羅柏森女士讓我們有機會各自表述。伍森女士先說，南西因為被罰留校的事情哭了一整晚。她說，南西是模範生，以前每一次都按時交作業，在學校從來沒有惹過任何麻煩。她覺得因為遺失一小張藍色紙而受罰很可笑。顯然伍森女士很憤怒，我坐在那裡不知道等一下會發生什麼，真的很害怕。我覺得眼睛泛出淚水，但我努力克制不哭出來。有幾次，假如校長叫我發言，我可能會像嬰兒般抽抽答答哭起來。幸好那種狀況沒有發生。

經過雙方一番申述，校長建議讓南西以罰寫作業來代替留校，可是我不能同意。我知道班上每個孩子都在等著看南西是否真的會被罰留校，我不能食言。我必須讓孩子知道我言出必行。另一個建議就是罰南西有一天

的午餐時間不能說話，代替留校。我依然不讓步。最後，在校長的支持下，以及透過她婉轉勸說，終於說服南西的母親，留校的處罰還是必須執行。不用說，伍森女士並不滿意，她可能到現在仍沒有忘懷，可是南西的那次留校絕對有其必要，不是我用言語就能解釋清楚的。南西留了校，接著有連續二十三天，全班都交齊作業。我把全班都交齊作業的連續天數變成一種挑戰，結果成效卓著。我告訴全班，我相信他們可以做到，我幫他們加油，當他們全交作業時，我就跳到桌上耍寶，載歌載舞。他們全交作業的部分原因是怕被罰留校，可是其他老師也罰留校，成效就差多了。我能夠讓全班變得有責任感並每天交作業的關鍵就是我支持他們，也相信他們。可是如果當初我沒有堅持讓南西留校，後來就不可能成功。

捍衛信念有時很艱鉅，如果沒有人看法和你一樣，你也會覺得很寂寞。我只能希望我慢慢建立學生的自信，要相信自己，也相信自己的信念，將來他們才會有勇氣，捍衛自己的信仰、想法和夢想。

188

★超基本 *50*

要積極地去享受人生。有些煩惱是很不值得的。看事情要看清大小輕重，要專注生命中美好的那一面。

我愛我的爸爸媽媽。他們是很棒很聰明的爸媽。每當我碰到困難或事情不順遂時，他們總有什麼妙招，讓我覺得事情絕對沒有那麼糟。他們總是說：「隆，事情總有不順的時候，沒有必要煩惱，一定可以解決的。」我沒有辦法形容聽到這句話有多安慰。

我記得有一次，我媽載我們姐弟去上學。在路上突然引擎蓋的兩邊開始冒煙。媽媽把車停下，下車看出了什麼狀況。那時候還沒有行動電話，所以她必須走到一家酒吧去借電話。那是很緊張的狀況，可是媽媽一直保

持冷靜，從容樂觀。來接我們的爸爸也沒有因為必須放下工作或是車子需要修理而咒罵或氣惱，他只是笑笑，載我們去上學，再折回去想辦法把車送到修車廠。爸媽倆總是抱持積極態度，不論什麼問題，不論問題大小，從來不怨天尤人。

我愛爸媽的原因之一是他們看世界的方式：他們懂得包容和理解，接受世界給我們的一切，不論好與壞。他們是如此積極的人，即使身處逆境，我十分努力讓自己也具備同樣的特質，並灌輸給我的學生。

我最近發現我以前共事過的一個行政人員對我很不滿，因為她誤解了我說的話。我是那種喜歡讓大家都開心的人，想到有誰在生我的氣就讓我受不了。其實我不是很想道歉，因為我的話並不是她想的那個意思。可是她生的氣還是讓我有點苦惱，我於是徵詢媽的意見，她建議我寫一封信或打電話去向對方解釋。我決定雙管齊下，先寫一封信，再打電話。可是都沒有用，對方依然冷漠。我還是有點苦惱，又再徵詢媽的意見，她說了很睿智的話：「隆，你已經解除了自己的壓力。你做了正

確的事，你打過電話，和她講和。現在負擔完全不在你
的身上，是在她的身上。如果她選擇繼續不愉快，那就
隨她吧，我希望你不要再煩惱這件事。」

　　我媽說得對。我們不能讓煩惱沒完沒了，煩到死。
我們必須了解，有些事情是我們無法改變的，有的時候
就是沒有簡單的解決辦法。最好就是量力而為，解除我
們自己的壓力，然後繼續向前邁進。

★ 超基本 *51*

生活要抱著「別讓將來有遺憾」的態度。如果你想做什麼，那就去做！絕對不要讓恐懼、疑慮或其他阻擋你。如果你想要追求什麼，就全心去追求。是你想做的，就要努力，沒真做到絕不放棄。如果你有什麼夢想，你就要竭盡所能去實現，直到夢想成真。

我最大的恐懼就是我選擇的人生會留下遺憾。我在二十一歲時發現，我有一個未曾謀面的家庭成員。我知道之後，就很想見到這個人，卻鼓不起勇氣。畏縮好幾個月後，我終於打定主意，要在下週一去見他。遺憾的是，他就在星期天去世。我傷心透頂，想到我不敢去見

的那所有無謂的怯懼，我為了自己的膽小而自責不已。
那時我了解到，即使這個人我從沒見到過，他卻給我上
了人生最大一課，那就是為當下做抉擇時，要抱著「別
讓將來有遺憾」的態度。我之所以會選擇我現在這種人
生，這一課要佔很大的原因。在他去世之前，我一直想
去旅行，可是我很怕搭飛機。這件事發生後，我就了解
到我將來不想有遺憾，我就開始四處旅行，去倫敦居過
一陣子，揹著背包走遍歐洲，到日本見識一番。我做過
這些感到很欣慰。我知道如果我沒出去冒險旅行過，回
顧一生時一定會覺得人生虛度。

　　我講以上的故事給學生聽，希望他們真的懂，人生
必須好好善用，不要因為任何阻礙而不去追求夢想。

★ 超基本 52

你是會犯錯的,請接受這個事實。你要從錯
誤中學習,並繼續前進。

我們都是平凡人,父母、老師和學生一樣,都會做
出將來會後悔的事。我在教書的第一年犯過錯,教書的
第七年也犯過錯,將來在教書的第三十年,我一定還會
再犯錯。犯錯後,你不能痛打自己一頓,你必須打起精
神,從錯誤中學習,繼續向前邁進。

我教書的第一年帶的那班學生很難管教。為了讓他
們在上課時專心,我必須安排座位,讓史蒂夫看不到比
爾,亞倫找不到拉基夏,諸如此類。我還必須在教室的
某個角落弄一個小隔間,讓極度頑劣的學生去罰站。有
一天下午一點三十分左右,我罰一個名叫傑梅因的學生

去站小隔間。我繼續上課，全神貫注，不知不覺下課鈴響，學生放學回家的時間到了。學生放學後，我坐在桌前，筋疲力盡，開始批改考卷，大約下午三點十五分左右，卻聽到一聲「碰」一聲！我從座椅上跳起來，去查看角落，看到傑梅因倒在地上。原來他靠牆站著睡著了，滑下來，撞倒整個隔間。我不知道誰受到的驚嚇比較大，我還是傑梅因！我扶他起來，開車送他回家，發誓絕對不再罰任何學生去站牆角。

那一年我犯的另一個錯與學校的另一位老師有關。她是比特森老師，她的教室正好我的教室對面。她的年紀比我大很多，接近退休的年齡，而且毫無疑問地，她並不認同我的教學方法。尤其，她教的是四年級，我讓五年級看來來那麼有趣，更是讓她不滿。她宣稱，對面我們班的上課情形會讓她的學生分心。我們針對這件事去見過校長幾次，可是每次結果都不如比特森老師的期望。校長支持我和我的教學技巧，比特森老師總是酸溜溜的說：「我就知道你會袒護他，他是你的『金童』嘛！」每一次我們倆去見過校長，她就更痛恨我。

　　有一天下午，比特森老師帶著她那班走過我的教室門口，並丟進來一顆網球。我和學生組成一支網球隊，顯然我遺漏了一顆網球在操場上，她探頭進來說：「克拉克老師，你留下這個在操場上，我的學生可能會踩到摔傷，你可能就會吃上官司。你會喜歡那樣嗎？」我則回答：「你剛剛丟了相同的一顆球到我的教室，你可能會打到我學生的眼睛，你可能就會吃上官司。你會喜歡那樣嗎？」我現在了解我那麼說非常糟糕，我當時應該以不同的方式處理，可是我正一頭栽進一場糾紛的漩渦，我沒有經驗，根本不知道該如何避過。

　　那天下午後來，我的教室大門響起敲門聲。我去應門，只看到一個綠包裹放在地上。我拿進教室，笑吟吟說：「聽著，各位同學，有人送禮物給我們班喔。」禮物一拆開，就蹦出好多隻蛾和蟋蟀，還有好多毛毛蟲和蛞蝓掉滿地。包裹放在塔瑪魯的桌上，可憐的他，差點嚇出了心臟病。我受驚嚇的程度也差不多。包裹沒有署名，顯然是比特森老師的傑作。她熱愛科學，教室裡養著各式各樣的昆蟲和動物。我的學生認為這對他們也是

一種侮辱，他們渴望復仇。我向他們保證，勝利的日子
一定會來到，我們一定會討回公道。

　　隔天，當比特森老師那班去餐廳吃午餐時，我和學
生把一顆實驗用過的洋蔥切一半，像○○七情報員那樣
的既小心又狡猾（我以誇張的方式演出，逗得孩子開心
極了）溜進比特森老師的教室，把洋蔥片塞進她桌子的
最上層抽屜的後方。

　　大約過了兩個星期，我已經完全忘記洋蔥的事。然
後，有一天，我注意到比特森老師在她的桌子四週噴灑
草莓香氣噴霧劑（天知道她有多愛草莓香氣的空氣清新
噴霧劑）。我走進她的教室，問她在做什麼。她以一貫的
刺耳的語調回答：「這裡臭死了，我找不到發臭的東
西。」比特森老師很喜歡吊在桌子上方的一株棉花樹，
所以我殘忍的說：「嗯，我想是你的棉花樹。」她很快
的答說：「你不知道你在說什麼，金童，棉花樹是不會
臭的！」那天下午，我看到她拿這盆植物到垃圾筒。顯
然她開始相信我說臭味來自棉花樹的話。這個玩笑讓我
覺得很得意。數天後我離開學校準備回家，走到我的車

位，發現整輛車全是洋蔥片。 她終於發現了桌裡的洋蔥。

我不會讓她稱心如意，所以我把車上的洋蔥片拿掉，並帶回家，壓成汁裝到罐子裡。第二天早晨，我確定我是第一個到校的人。我把洋蔥汁倒進比特森老師的草莓噴霧劑。然後我在她的教室四處噴灑。

她走進她的教室，突然停下腳步，她知道我把洋蔥放在某處，但無法正確找出味道來源。一整個早上我都必須忍住不笑，因為她為了找出洋蔥，叫她班上學生把整個教室翻遍了。同時，她在教室中衝過來又衝過去，使盡全力噴灑那罐「草莓噴霧劑」。

這件事過後，學校有一位蘇黎絲老師請我坐下，告訴我有關比特森老師的一些事。比特森老師真的是一個很和善大方的女性，可是因為某些遭遇，她對教育的熱忱不如以往。蘇黎絲老師說，比特森老師不喜歡我的一個原因，是因為她自己也想要像我一樣教學，可是她不知道方法。此外，比特森老師希望孩子們喜歡她，就像大家一樣，可是她不知道怎麼做。蘇黎絲老師讓我恍然

大悟，我很快了解我當時可以用很多方法把我和比特森老師的關係變好。我應該可以和比特森老師合作，讓兩班學生一起做一項科學計畫。我可以公開承認科學是我最差的學科，我一定可以獲得比特森老師的幫助。我也應該可以向比特森老師請教一些事，就像我對其他老師一樣。我可以讓她有被需要的感覺。我可以對她尊重，但我卻使糟糕的狀況變更糟。總算，我有從錯誤中學到一課。

老師之間有時會發生衝突，一起工作的人都有可能。有時候最好的方法是犧牲一點尊嚴，化解矛盾。向同事求助或請教是一種很大的恭維，非常有助於緩和人與人之間的緊張。因為和比特森老師相處的經驗，我學會欣賞所有老師，他們的意見、技巧和才能都有可能使我受益，幫助我變成更好的人。老師與老師之間只需要懂得表現出樂於互相學習的欣賞之情，大家自然會互相尊重。

老師與老師之間不合的另一個壞處，是會影響到學生。在「洋蔥鬧劇」後一天，比特森老師叫我的一個學

生不要在走廊上奔跑。學生只是看看她，好像當她是神經病，繼續跑他的。當然我追上學生，狠狠訓他一頓，可是重點是，他之所以不尊重比特森老師，是我們倆關係不睦的結果。老師與老師之間關係緊張，學生會感覺到，會覺得不舒服。如今孩子在這個世界所目睹的敵意已經夠多了，不應該在學校還得要忍受。反過來說，當老師之間相處融洽，互相欣賞，這種環境中的學生心會更靜，表現會更好。我和同事瓊絲老師相處十分愉快。我們總是笑哈哈，常常互相擊掌稱慶，互相支持。學生們喜歡和我們在一起，有我們在旁，他們會品學更佳。那就是我們應該為孩子創造的環境。

像忘了站角落的孩子，或拿洋蔥做幼稚的事，這類的錯誤是在所難免。無論我們年紀多大，人生經驗多豐富，我們仍會犯錯。但是有一件事是肯定的，那就是隨著經驗的累積，錯會愈犯愈少。我教書的時間愈長，我犯的錯就愈少。隨著年歲增長，我犯錯時，也愈知道如何處理。

犯錯是在所難免。請接受它並從中學習。

200

★超基本 *53*

**無論什麼情況，一定要誠實。你做了錯事，
最好對我坦白承認，因為我欣賞誠實的人，
常會因為你誠實而選擇不給予任何懲罰。**

　　一天，有位家長來到我教室門口，請我到走廊一
談。我出去前告訴班上學生準備去吃午餐，而且不要說
話。我和家長談了幾分鐘，回到教室裡，要學生出去排
隊。他們排隊走過我身邊時，許多學生都在嘴裡嘟噥著
說：「坎蒂和葛蕾兒剛剛在講話。」當時我沒對兩個女
生說什麼，可是當坎蒂和葛蕾兒走出教室時，我叫她們
倆站到旁邊，我要和她們談話。我彎下身子，看著她們
的眼睛說：「我知道我信得過你們兩位。可不可以請你
們告訴我，我在走廊時，教室裡有誰講話嗎？」坎蒂的

　　辮子擺動著，回答說：「哦沒有，克拉克老師，你應該為所有同學感到驕傲。我們剛剛忙著準備去吃午餐，根本沒有機會說話。」我直直看著她的眼睛說：「你確定，坎蒂？」她回答說：「喔，我確定，克拉克老師。我絕對沒有撒謊，媽媽教過我說謊是錯的，而且我很敬重你，所以不會對你說謊。此外，我讀過聖經。」我沈著一張臉說：「好啦，小姐們，讓我告訴你們一件小事，我在教室外面時，可以聽到你們兩個在說話！」葛蕾兒的臉變得像白紙一樣，她說：「喔，我十分抱歉，克拉克老師，我有說話。」我說：「好，謝謝你說實話，葛蕾兒，去餐廳。」坎蒂立刻說：「喔，克拉克老師。我很抱歉，我也有講話。請問我現在可以去餐廳了嗎？」坎蒂不能那麼輕易脫身。我說：「坎蒂，你剛剛才坐在這裡告訴我說你沒有講話，而且你絕對沒有撒謊，因為你媽教過你不要說謊，而且你非常敬重我，你讀過聖經。小姐，我想聽聽你的解釋。」坎蒂垂下頭幾秒，然後小聲說：「好啦，我沒有讀完整本聖經。」

　　誠實。誠實是學生在被我教的那一年，學習成效能

否大進的關鍵。我在第一天就會花許多時間向孩子說明，有時因為說實話而惹上麻煩是值得的，說實話你才能問心無愧。我告訴學生，說實話比躲麻煩重要得多，因為說實話會獲得尊敬和信任，兩樣都可以受用無窮。

我總是特別獎勵誠實的行為。有時會有學生做一些事，讓我想要責罰他們，可是我會因為他們坦承不諱而不罰。依我看，誠實是一門比什麼都重要的功課。

孩子們剛開始會懷疑，還是會說謊以避免責罰，我花了許多時間與耐心，才讓學生了解實話是可以說的，誠實反而可以避免更嚴厲的處罰。

安托茵是一個火爆的女孩，常常惹事生非。我和她之間印象最深的一次互動是在餐廳裡。一群學生告訴我說她插隊，所以我走到她排隊的地方，問她是否確有其事。她的嘴裡說「沒有」，眼睛卻說「有！」我說：「好，我再問你一次，這一次我要聽實話。你有插隊嗎？」她再度回答：「沒有！」我可以輕易地罰她排到最後面去，可是我要的更多；我希望她承認插隊。我彎下腰，臉就對著她的臉，用最嚴厲的眼神看著她說：

「安托茵,你沒有親口對我承認你插隊,這一整排的同學就都不能吃飯。」十五分鐘過去,她仍站在原地,有三班肚子餓的學生氣呼呼站在她的後面。我們陷入僵局,我知道我必須採取行動。我決定試試最後一招。我直接看著她的眼睛說:「安托茵・華勒斯,你最好說真話,讓上帝愛你。」那是美國南方常說的一句話,對安托茵來說正中要害。在北卡州,宗教是許多小孩生活的核心。安托茵的眼睛大如銅鈴,很快地說:「我有插隊。」我只回答:「謝謝你說實話。現在去吃飯。」

信不信由你,我特別喜歡教導行為偏差或個人問題很多的學生。安托茵絕對屬於這一類,我們果然很投緣。她的猛、她的潑辣、她的剛烈,別人都受不了,覺得有點怕,我卻偏偏很佩服。我把安托茵放在我的羽翼下,讓她加入我在學校創立的網球隊。很快地,她的整個態度有了改變,變得好相處,對學校所有老師也恭敬起來。教導安托茵的過程中,看到我為她人生所帶來的轉變,那種喜悅我會永誌不忘。永遠,她都會是我最喜歡的學生,這是真的。

★超基本 *54*

> 把握今天。今天是不能重來的,所以不要浪
> 費它。生命是由特別的時刻組成的,許多時
> 刻之所以特別,就是因為我們把警戒心拋到
> 腦後,先行動再說,抓住這一天。

　　這條班規聽起來近似第五十一條「別讓將來有遺憾」,可是在我眼中,其實是兩碼子事,值得分開來學習。第五十一條是選擇你想過的人生。這條「把握今天」則是說每一天都要做到最充分的利用,不放過每一分鐘。

　　我的學生聽到這條班規一年一定有上千次。我之所以會成為這樣的老師和這樣的人,這條班規太重要了;我就是這樣生活的,我也盼望我的學生能夠學到充份利

用每一天有多麼重要。最近我從哈林區帶九名學生到北卡州旅行一個禮拜。大家塞進一輛箱型車就上路，我知道這趟旅程永遠改變了他們的人生。我對這群孩子說：「我們要充份利用這個禮拜。我們把每一天都要裝滿滿，在北卡州你只要有機會做任何事，你們都要去做：不管是新奇的、不一樣的、還是嚇人的，我都希望你們不要放過！」我和他們約定，在那個禮拜，我們要遵行「把握今天」（carpe diem）的哲學。果然，他們沒有讓我失望。怕高的孩子學攀岩，從不下水的孩子學滑水，從不吃豬肉的孩子在燒豬派對上問說他可不可以吃豬舌頭。他們全都做到了！那是充滿冒險、趣味、新體驗的瘋狂一週。最後我們到兒童樂園。唉，偏偏我很不喜歡坐雲霄飛車，我怕死了雲霄飛車，我恐懼得想違背我與學生的約定。我真的想掃大家的興，自己勸別人的話，自己反而不照做。我實在不得已，我真的太害怕了。卻有個學生看著我，把我對他說過許多次的話說一遍：「克拉克老師，你最好忙著生活，不然就得忙著死去。(You better get busy living, or get busy dying.)」

　　我自己說過的話，別人說回來給我聽，果然發揮了功效。我在孩子的陪伴下，坐了樂園中的所有雲霄飛車。在那天以前，我從來沒有真正享受過遊樂園的樂趣，可是那天因為我拋開所有恐懼，我拼命生活，我愛死了那天的每一分鐘。那整個禮拜，我們全都拼命生活。

　　如果整個人生都能這麼自由地去嘗試新事物、體驗未知、面對自己的恐懼，那該有多好。要跨出那一步，去冒那種險，對大人來說也不容易，孩子們卻比較願意拋開顧忌，真正去積極生活。如果我們可以趁他們小時候教他們擁抱那種態度，他們說不定能一生受用。

★ 超基本 55

在你的能力範圍內，做一個最棒、最棒的
人。

　　一生當中，你一定會有寂寞的時候，有時你會心
碎，會覺得生命中少了點什麼。沒有人的人生是沒有痛
苦、沒有悲傷的。可是，不論事情有多糟糕，你一定要
確定一點，就是你正往良善的方向成長，你正長成你一
直想做的那種人，有你在別人會覺得真好的那種人。不
要讓外在因素阻撓你的個性發展，把你變成你並不想做
的那種人，這很重要。一生中，你隨時都應該擁有七樣
東西：歡笑、家庭、冒險、美味的食物、挑戰、變化、
知識的追求。有了這七樣，你就能夠成長，享受人生，
長成能夠讓自己感到驕傲的那種人。你會堅強健康又快

樂，也更有資格幫助他人，給別人一些建議，更能從自
己的犯錯中學習。

傳授心法一：大人與小孩之間的互動

日記節錄：

我無法入睡。明天是學校開學的日子，現在是凌晨三點三十分，我太緊張了睡不著。即使真睡著了，我可能會再作惡夢，夢到我把班上學生搞丟了。我不斷在學校走廊跑過來跑過去，學生沒人看管，讓我心驚肉跳。我終於找到這群孩子，原來他們一直都在教室裡。迷路的人是我，是我走錯地方，不是學生。我走進教室時，看到校長已經發現這一班沒有老師照料，她雙臂交叉站在教室前面，臉上露出不悅的神情。

惡夢！

我知道這場夢透露我的恐懼，我怕我是個失敗的老師，我怕我在學生需要的時候卻不在現場。我怕學生會不喜歡我，會不聽我的話，我怕我的教法和學

生之間會有隔閡。我擔憂死了，怕自己會搞砸……

以上是我日記的真實摘錄。你可能以為是在第一天當老師的前一晚所寫的，其實這是我當老師第七年開學前一晚寫的日記。帶孩子會令人神經緊繃。不論你有多少練習，經驗多麼豐富，還是會擔心出錯。這種心情是可以理解的，因為沒有什麼責任比帶孩子更天大地大。無論你是家長、教師、輔導員還是社區的一份子，你在孩子面前都身負如下重任：樹立榜樣、激勵孩子努力上進、讓孩子的人生往更美好的方向發展。

我教小學這麼多年，與學生一起經歷過這麼多的點點滴滴，我琢磨出激勵孩子的許多心法，也學到了處理各種狀況的最佳方法。我確定一件事，就是和孩子相處，你必須靈活。大體上，我歸納出到處都行得通的四種真理：

#1. 孩子需要有所適從，也喜歡有所適從。

學生喜歡有安全感，喜歡上頭有一個掌控全局的權威。我看過老師和家長為了討孩子的歡心而犯下管教太

鬆的錯誤。曾有初任教的老師告訴我，他們想要贏得孩子們的喜歡，所以不想要太嚴格。我認為剛開始，學生的確會喜歡這種老師，可是最後，他們就會變得不尊重老師。最好，是讓學生既喜歡你，也尊敬你。要達到這樣的結果，就必須在教室建立秩序，你必須把規則說清楚、講明白，讓學生有安全感，覺得很舒服。

#2. 如果孩子喜歡你的人，就會努力配合你。

訂出一套好規範的老師，是可以贏得學生尊敬的，有些孩子卻可能不會特別喜歡你。要帶孩子的心，有時真的很難。我新帶一個班之前，會在暑假先寄封信給他們，這樣他們在開學前就可以對我和我的個性先有些了解。我一定隨信附上許多照片，讓他知道我是個愛玩愛刺激的人。開學第一天，我就放簡短的幻燈片，秀出我到各地旅行的照片。他們從幻燈片也可以看到我在他們這個年紀的樣子。我想要這些孩子立刻對我就有認識。我要他們看到我真實的一面，而不只看見他們的老師。

我讓孩子喜歡我的另一招，就是只要能吸引他們的注意力，我什麼都做得出，不管我看起來會有多蠢、多

丟人。我和孩子在一起時，是很不愛面子的。要贏得學
生的心，面子上小小的犧牲，作用可能很大很大。我記
得小時候，我媽每晚把我弄上床，都會幫我脫襪子。她
會一直拉，襪子卻彷彿脫不下來，只是拉得好長好長。
媽臉上會裝出我一生中所見過最好玩的表情。最後，襪
子會飛出去，媽則摔倒在床上。她這麼做看起來很蠢
嗎？是的，蠢極了。我有因此更愛她嗎？是的，愛極
了。現在當我站在教室前面，我總會放下防衛。我沒有
禁忌。我裝出各種好笑的表情，我摔倒在地，任何事我
都願意做，只要能拉近我和孩子之間的距離。

　　我讓孩子喜歡我，還有最後一招，有點怪的一招。
我在開學的第一天，就會說類似下面的一席話：

　　「我不在意你們是否喜歡我。我完全不管。我在這裡
不是要和你們當中任何一個做朋友。我已經有許多朋
友，不需要再多交朋友。我不在乎你們是否生氣，在心
裡咒罵我。你們大可以在心裡罵我，因為我在這裡的目
的不是要你喜歡我。我的目的是要你們學習。我在意全
班每一個同學，我一心一意要讓你們受最好的教育。我

想要你們每一個人知道，我將竭盡所能，讓你們真正學到東西，沒有什麼能夠阻擋我。」

這似乎有點不近人情，可是基於許多理由，這一席話是很重要的。首先，這席話讓孩子們知道，在教室裡胡搞是無法躲過處罰的。同時這一席話也讓他們知道我在乎他們，我一心一意要讓他們受最好的教育。這席話讓孩子知道我的優先順序，為我們未來一年的相處模式打下基礎。可是這席話中最好玩的，就是我一邊用力聲明我不在意他們喜不喜歡我，一邊卻又使盡力氣做一個他們會喜歡的那種老師。我放幻燈片、載歌載舞、站上椅子、裝瘋賣傻，只要你說得出來。

我想要孩子們喜歡我嗎？當然，孩子們喜歡也絕對有其必要。我有讓孩子們知道嗎？沒有。當孩子們知道你想要他們喜歡你，你等於就是送給他們強大的火力來對付你，最後，他們可能會也多半會利用你的心理。就說你多麼不在乎他們喜不喜歡你，這個「謊言」會讓你佔上風。你不可能既管教孩子又不愛孩子，也不可能因為愛孩子而不管教孩子。愛與管教，兩者一定要雙管齊

下。

#3. 孩子喜歡知道你對他們的期望。

期望孩子自動自發，做出你所期望的表現，是不切實際的。孩子就是孩子，許多行為對我們似乎是常識，對他們卻是天方夜譚。我發現，不論哪個孩子，如果把你對他的期望，還有你希望他怎麼做，都說清楚、講明白，他就會努力達到你的標準。惹麻煩的孩子常問：「我什麼做不對嗎？」或者說：「我又沒怎樣。」老實說，這些孩子並不懂自己做錯什麼。如果他們做完了都還不了解自己的行為有何不當之處，他們在犯錯當時怎可能知道不對呢？我們在說明我們對孩子的期望時，一定要清楚具體，孩子心裡才能明確知道對錯，毫無疑問。

在我教書的頭兩年，一看到孩子做錯事，我會立刻加以懲戒，如午餐禁止說話，或下課不准出去玩。像泰卡德，每次被罰時都擺一張臭臉，好像便秘一樣，受罰受得很憤怒。我後來才知道，他們根本沒有真正學到教

訓。他們甚至不懂我為什麼如此生氣。他們不了解他們
做錯什麼事。後來，我學會了要和孩子一對一好好地
談。我總是會先問：「告訴我，你認為你做錯了什麼？」
或問：「告訴我，你認為我生氣是什麼原因？」聽聽孩
子的觀點，總是有益無害的。大多數的情況，你會聽到
完全不同的觀點，如果你不花時間說明你為什麼生氣，
學生將因為受罰而一直對你懷恨下去。孩子絕對想要知
道你對他們的期望。在他們做錯事時，一定要說明他們
的行為有什麼不當，才能避免他們再犯。

#4. 孩子喜歡知道有人在關心他們。

在我教書的第一年，有個名叫雷蒙的孩子，很沒禮
貌，也很會搗蛋。在教室裡總是他帶頭，他所製造的混
亂會影響到全班的氣氛。我知道只要我有辦法約束他，
全班都會變得好管。一個星期五的下午，雷蒙用盛氣凌
人的口氣說，他星期六和星期天都有校際籃球比賽要
打，所以週末無法做家庭作業。我不和他爭論。我找到
籃球比賽舉行的地點，我去看比賽。雷蒙看到我時一臉

驚愕，問我來幹嘛。我告訴他我來幫他加油，他簡直無法置信。整場比賽，每次他投籃、傳球、撥走別人的球、搶到籃板球，他都會注意我是否在看他。我那天到場對雷蒙意義重大，那個星期一他交出所有家庭作業，寫得整整齊齊，沒出半個錯。他變成模範生，從此彬彬有禮、努力用功，不再是帶頭搗亂的學生。他變成同學的好榜樣。他在四年級的閱讀測驗，成績只領先同州百分之十六的四年級生。五年級結束時，他的成績領先百分之六十八的五年級生。他的成績突飛猛進，只是因為我表現出對他的關懷，激勵他上進。

這聽來似乎簡單，其實也真的很簡單。孩子們想要知道你關心他們。在孩子心甘情願為你的叮囑付出之前，他們想要知道你也願意為他們付出。一旦你做到了，和孩子相處就變得更輕鬆、更有收穫也更有意義。

傳授心法二：老師和家長之間的互動

　　老師要讓教室的紀律規範順利運作，家長的支持是一定要的。家長支持你，相信你的判斷，雙方在未來的一年才能互動愉快，不起爭執。可是，老師如果沒有和家長發展出適當的關係，雙方的互動將是老師生活中最惡劣的一部份。我個人就有好幾十個恐怖經驗。幸運的是，大部份都發生在我當老師的頭兩年，我從中吸取教訓，改變自己和家長的互動方式。不過，無論你有多少的練習，無論你和家長建立多融洽的關係，問題總是難免發生。

　　在我教書的第一年，有一位家長柯里夫藍女士覺得我管她兒子管太嚴。她跑來罵我，大吼大叫的，還去找校長理論，可是都沒用。有一天下午，她看電視看到一則廣告說：「緊急狀況請打九一一。」她覺得她的處境已經可以算是緊急狀況，就打了九一一，向警察舉報我。警方依照程序，必須處理這通電話，所以我的教室

門口就來了好幾位警察。警察告訴我來意，我差點昏
倒。柯里夫藍女士被找來學校，她見了校長、警察、輔
導老師，大家告訴她，不滿意孩子的老師就打九一一，
是不對的。

我記得我教過一個名叫達尼爾的學生，他有嚴重的
紀律問題。我曾經努力連絡過全班所有學生的家長，獨
獨他家的電話總是打不通，我不確定達尼爾有沒有把我
要他轉告的任何訊息確實傳達給他母親。經過幾週的嘗
試，我終於用電話連絡上他母親。我們之間的對話就像
這樣：

柯布女士：喂。

　　　我：我可以和柯布女士講電話嗎？

柯布女士：你是誰？

　　　我：我是克拉克老師，達尼爾的老師。

柯布女士：誰？

　　　我：我是克拉克老師，達尼爾的老師。

柯布女士：喔，他做了什麼？

　　　我：好，讓我告訴你。他和同學打架，對女生吐口
　　　　　水，上課不專心，從來不做家庭作業，我受夠

了。

柯布女士：啊，你知道嗎？他在家也差不多。他在家時，我必須處理，所以當他在你那裡時，本來就應該你處理。（掛斷電話）

這段對話聽起來可能難以置信，可是我碰過好幾個家長，都有相同的心理。有些家長把學校當做長時托兒服務。有些家長則把老師當幫傭。老師想贏得所有長的尊重，一直是一場長期抗戰。其實我與柯布女士的那次對話讓我學到很多。第二年，我又教到一個很頑劣的學生，名叫特瑞，碰到的問題很類似，我處理的方式就大不相同了。

班克斯女士：喂。

　　我：我可以和班克斯女士講話嗎？

班克斯女士：你是誰？

　　我：我是克拉克老師，特瑞的老師。

班克斯女士：喔，他做了什麼？

　　我：其實，我只是打電話來讓你知道，我多麼喜歡上課時有特瑞在。他愛死了學習，他

為課堂討論注入不少活力。

班克斯女士：真的？

我：哦，是的，我今天才告訴他說：「特瑞，你總是這麼有禮貌，我會告訴你媽，她真的把你教得很好。」我就決定，要打電話親自謝謝你把特瑞教得這麼好。

班克斯女士：你是說真的？他沒惹麻煩？

我：喔，沒有。當他的老師非常愉快。很高興和你談話，我會和你保持連絡。

班克斯女士：好，唔，晚安，克拉克老師。

沒錯，我當時說謊，可是那是一種策略運用。老實說，特瑞讓我抓狂，我實在拿他沒輒。在打過電話後的第二天早晨，他走進教室，臉上的神情好像在說：「你在搞什麼花樣？」當他聽到他媽和我通過電話，他一定想說他會有麻煩，可是他媽卻稱讚他的表現。我打賭他當時在想：「嘿，我在學校可以胡作非為了，老師甚至不會去向我媽告狀。」後頭的事他根本就想不到。

我煎熬了三天，又撥了電話。

班克斯女士：喂。

我：喂，班克斯女士，我是克拉克老師，你好
　　嗎？

班克斯女士：哦，我很好。你好嗎？

我：我很好，可是我今晚把烤雞烤焦了。

班克斯女士：不會吧！

我：沒錯，我就是烤焦了！呃，我說啊，我知
　　道我告訴你一件事，你會大吃一驚，因為
　　老實說，我真的很意外。

班克斯女士：什麼事？

我：嗯，特瑞在班上有點調皮，我簡直不敢相
　　信。

班克斯女士：他做了什麼：

我：他沒有做完所有的作業，而且他打擾其他
　　學生上課。終於今天我把他叫到走廊上，
　　我說：「特瑞，我無法相信你今天的行
　　為。你來自如此一個好家庭，你媽如此辛
　　苦的教導你，好好把你帶大。你在班上不
　　守規矩，等於是不尊重她。」你知道嗎？
　　他的行為彷彿他絲毫不在乎。

班克斯女士：等一下，克拉克老師……特瑞！！立刻給
　　　　　我滾進來！！！

　我必須忍受特瑞幾天的氣，讓特瑞以為我拿他沒
輒，可是最後，我和他媽媽直接建立關係，他媽約束
他，和我合作，讓特瑞在接下來的一整年都守規矩。我
學到了一件事，就是無論如何，和家長的第一次接觸一
定要是正面的。

　一如我所說，即使有了與家長互動的多年經驗，有
時仍會有衝突產生。我在紐約市哈林區教書的第二年，
有個學生的父親嚇得我屁滾尿流。當時我還以為，他最
喜歡的消遣就是在我的答錄機留言恐嚇我。他認為我給
他的女兒佛蘭西絲卡太多作業，我就必須聽他要如何把
我的身體扭成三截。我甚至不諱言，我竭盡所能避開
他，可是不幸的是，有時我一定得見到他。有一次，我
帶佛蘭西絲卡和另外五名同學一起去校外教學，我帶他
們到一家高雅的餐廳用餐，還去看電影，我負擔全部的
費用。我只要求家長在晚上八點要到地鐵站接孩子。到
了晚間八點半，我仍和佛蘭西絲卡坐在地鐵站。我帶著

她去打公共電話，十五分鐘後她的爸媽出現了，怒氣沖沖的。他們以為我會送每個孩子回家。我解釋，他們簽署的校外教學同意書上清楚寫著，家長必須到地鐵站接孩子回家。他們的唯一辯白，就是他們沒有閱讀同意書的內容，還說我沒有把每個孩子送回家是很無禮、很不專業的行為。

首先你可能納悶，為什麼我會帶佛蘭西絲卡去參加這類的校外教學行程。她絕對是一個很好的學生，人也很好，我知道她必須擁有那類的經驗。她可能是我教過資質最優秀的學生之一。幸運的是，她的家長雖然常常對我說狠話，可是還願意讓我帶她出遊。他們想要給她最好的，而且他們知道我帶她參加的活動對她是有百益而無一害。他們甚至讓我帶著她和另外八名學生，到北卡羅萊納州玩一個星期。佛蘭西絲卡在那趟旅行吸收了各種經驗，從滑水、滾下沙丘、搭乘四輪出租馬車、參加南方傳統的「烤豬大會」。那個星期她真的生龍活虎，我知道那次的經驗會跟著她一輩子。這趟去北卡州，她的家長不花分文，我以為他們至少會在我帶佛蘭西絲卡

回紐約後表現幾分感激之意。可是她父親弄錯了我們抵達的時間,先在學校等了好幾小時,見到我就對我大發雷霆,當著其他家長的面,跟我說他在那裡等我們有多麼煩,要我以後學乖點,做事情應該更有條理。他一個人滔滔不絕,夾雜了許多粗話。我駕車離去時,只好拼命去想佛蘭西絲卡從沙丘滾下來的笑聲。

為什麼我要分享這些可怕的經驗?老實說,每當我碰到像前面提到的那種不配合的家長,聽取其他老師的類似遭遇似乎會讓我覺得好過些。我了解到,別的老師也碰過同樣類型的家長,那是無法避免的。我希望藉由分享我所受到的考驗,能夠幫助別人面對他們自己的難關。

至於那種很支持、樂於幫助老師、互動起來很愉快的家長,我親身經驗的故事就多很多了,絕大多數的家長都屬於這一類。有家長陪同學生參加校外教學之旅,他們很體貼,很支持我,願意忍受一切,為了幫忙,什麼艱難的工作都願意接下,讓人真的很感動。我曾經在晚上九點打電話給家長,臨時說第二天早上要辦一場蛋

糕義賣會，第二天一早，他們就會端來好幾盤的蛋糕，出現在我門口。我也曾拜託一位家長，開小貨車一個小時，去載五百打的甜甜圈，她二話不說就去載了，結果甜甜圈的糖汁滲得她的座椅到處都是，她還說，沒關係。下一次我們義賣甜甜圈，第一個自告奮勇去載甜甜圈的人又是她。可是我認為，家長能夠為我做的最好的事，就是信賴我。無論學生多麼喜歡你，有時候他們還是會覺得受到「不公平待遇」。分數被打低、處罰太嚴厲，或者只是被點名起來答題的次數不夠，都會讓學生看你不爽。教我小學六年紀的伍拉德老師是歷來我最喜歡的老師之一，我真的很喜歡她，可是最近我重翻她要我們寫的日記，發現了如下一段：「今天真討厭。我拼命舉手，伍拉德老師偏只叫別的學生回答。我恨死了那個女的！」一個小六生的腦袋就是這樣。

　　孩子們最可愛的地方，就是這些有的沒的情緒通常只持續幾個小時，然後他們就又開始愛你了。問題是，在那段時間結束之前，他們通常已經跟家長說了，說你是一個多麼討人厭的老師。這時家長的信任就派上用

場。我在學期一開始就告訴家長，他們的孩子可能說我管教太嚴，或是抱怨我指定的作業太多。我要求他們信任我，相信我知道自己在做什麼。能夠獲得家長的體諒是一種福份，有些家長卻是孩子怎麼說他都相信，急驚風的就要幫孩子出頭。他們往往就打電話過來，根本不問我的說法，假定事情就像孩子說的那樣。我再強調一次，這種家長只是少數，我和無數家長之間的互動都十分愉快，他們讓我的工作和生活都輕鬆許多。

我希望家長能夠做到五件事：

＃1. 如果你覺得我或我的教法有問題，請不要直接打電話給校長。請先打電話給我，給我機會和你討論你的疑慮。

＃2. 如果你需要找我談，請你的孩子轉交我一張便條通知我。我會寫回覆，我們可以安排見面時間。請不要突然出現在教室門口，要求和我談。

＃3. 除非生病或家中有喪事，不然不要讓你的孩子遲到或缺課。因為孩子必須剪頭髮，或你要帶

孩子去買衣服，以這種理由讓孩子缺課，會
對孩子發出錯誤的訊息。

#4. 你的孩子是我每天在教的許多孩子當中的一
個，我不見得可以照顧到他的每一個需求，這
一點請你諒解。教育孩子不單是老師的責任，
也是家長的責任。

#5. 請信賴我，我知道我在做什麼。

我從來沒有對我的學生家長明白說出這些要求，可是
我相信大多數家長都心知肚明。你必須擔心的是那些不
知道的家長。與這種家長打交道，我有六點建議可以給
別的老師：

#1. 你和家長的初步接觸一定要正面，完全不要有
負面成分。

#2. 每一次你和家長談話時，談到他們孩子的表
現，一定都要用好話做開頭。（約翰可能每一
科都不及格，可是如果他有一項美術作業很不
錯，你就先談美術作業。）

#3. 專業的穿著。我發現，當我穿西裝打領帶時，

學生與家長對我會更加尊重。在課堂上，學生的調皮搗蛋會少很多，我和家長談話時，他們的語氣也會更恭敬、更配合。此外，老師想要受到專業人士般的敬重，穿著舉止就應該像專業人士。

4. 突然寫張便條給家長，或打電話過去，特地告知孩子有什麼優異表現。（每次我這麼做，家長都會說以前從來沒有老師這麼做過。家長愛聽到孩子被誇讚，這樣做非常有助於建立你和家長之間的良好關係。）

5. 把握每一個機會，向家長道謝。如果他們捐贈物資、幫忙舉辦派對、陪學生出遊，任何對班上的貢獻，都該寫一封感謝函給他們。他們覺得被感激，未來就更願意幫忙。

6. 如果有家長極難相處，不妨安排時間一起去見校長，不要怕。你可以在校長之前表達你的顧慮。如果沒效，以後就避開那位家長，像躲瘟疫一樣。以後與這位家長的任何往來都應該透過書面進行。不要讓你自己受活罪。

傳授心法三：懲戒和獎勵

　　我制定的懲戒辦法，都力求簡單，而且容易實行。我可不想被懲戒搞得一個頭兩個大，成天忙著數他們的名字旁打了幾個星號，或數他們的課桌上的表格貼了幾張貼紙，那樣都太麻煩了。我要的是迅速容易。因此，我認為最有效的辦法就是，如果有學生犯了一條班規，就把他的名字記在黑板上，當做一次警告。第二次，黑板上他的名字旁邊就要打一個「ｘ」。每多犯一次規，「ｘ」就多打一個，懲罰的措施如下：

記名字在黑板上

只是警告，除了名字寫在黑板上，不會有其他後果。

一個「ｘ」

在午餐時間，我會看著黑板上的名字各有幾個「ｘ」。所有至少被打一個「ｘ」的學生都必須和我坐在一起吃午餐。我通常叫他們坐在靠牆壁的一張桌子。用餐時什麼

話都不能講。任何學生若笑出聲來或講一個字，他就得多吃一天這種不能講話的午餐。

兩個「x」

被打兩個「x」的學生下課時間不能出去玩。如果是另一名老師要帶學生出教室，我會把受罰學生留在教室裡陪我。如果是我要帶全班出去，我會指示受罰學生坐在操場的圍牆邊。遇到下雨，學生下課時間去的是體育館而不是操場，但受罰學生是不能去的。有些家長可能覺得下課不准學生出去透氣太過嚴酷，我會告訴這種家長：「聽我說，這是一場壕溝戰。教小孩不是件容易的事，有時候為了要讓小孩守規矩，有些措施是必要的。」

我還沒真正當老師時，我曾目睹代課的華道爾老師罰孩子下課不准出，我那時心想：「她真可惡!」沒想到才兩個禮拜後，我警告過某個男生三次，他仍舊拿鉛筆去戳同學，我就脫口說出了：「好吧，丹耶爾，你下課不准出去了！」一旦當了老師，看法就不一樣了，要維持班上的秩序，什麼都得做。

三個「x」

學生若被打三個「x」，放學後會被留校輔導。他們首先收到類似這樣的一封信：

親愛的家長（或監護人）：

令郎於四月五日下午三點至四點將被留校輔導，地點在克拉克老師的教室。留校輔導的理由是：

_____沒有做家庭作業

　　　　沒有交的作業：_____

_____行為不良

　　　　說明：_____

請在下方簽名，准予令郎參加留校輔導。

　　　簽名：_____日期：_____

我總會確定已經和家長溝通過，也向他們解釋過留校輔導是怎麼回事。尚未與家長談過，還不確定他們能不能接受這種懲罰之前，我不會將通知函送出。大部份家長都願意讓孩子放學後留校一個鐘頭，有些卻不願

意。在紐約市哈林區，大部份學生在留校輔導完畢後，走路就可以回到家，因此家長們並不介意。然而在北卡州，學校在鄉下，如果把學生留到四點，家長就必須特地跑一趟，開車到學校接孩子回家。有些家長認為，這種懲罰礙到的是家長，而不是學生。我覺得，孩子如果沒有每天都為學校的課業做好準備，家長本來就要負一部份責任，因此我不覺得這樣的懲罰有什麼不好。可是如果家長堅持不讓孩子留校輔導，那麼我也會祭出同樣有效的懲罰措施。例如，我會與家長協議，讓學生就某個題目寫一份三頁的報告，內容通常與我們正在上課的主題有關。孩子有兩天的時間可以做這份報告。我和家長的協議說，報告若無法完成，孩子就必須留校輔導。約有九成的比例，報告都不會完成，家長當然只好讓步，同意學生留校輔導。如果你不得不更改懲罰措施，替代措施就必須能發揮同樣的懲戒效用。假如學生們見到有同學不必面對懲罰，您就得解釋替代的懲處措施是什麼。假如有學生向你抱怨為什麼有同學不必留校輔導，只要告訴他們：「喔，是這樣嗎？你們以為他不用

留校輔導？首先，你根本不知道他所受到的懲罰有多糟。第二，不要那麼肯定他沒留校。還有第三，這不干你的事。」這個孩子可能真的沒留校輔導，可是你不能讓別的學生知道。也就是說，這個孩子可能已經告訴每個人他不必留校，他要接受別的懲罰，但你還是要繼續裝模作樣，彷彿是這個孩子搞不清楚狀況似的。我知道這樣似乎很怪，但真的很有效。反正，就是不要告訴班上你替某些學生更改了懲罰措施。

四個「x」

通常，被罰過留校輔導，學生就會非常努力地守規矩，很少會再被打第四個「x」。我告訴學生，哪個人只要被打第四個「x」，我會立刻和家長討論他的行為。如果真的發生，我會視情節的嚴重程度，與家長進行不同形式的接觸。例如，倘若我覺得問題不嚴重，我會等到回家之後才打電話。如果問題比較嚴重，我會下課時間或放學後立刻打電話。有時候，我會叫孩子站到走廊上，然後我當場用手機打電話給家長。我很少這樣做，因為會妨礙上課。可是我這招還是不時就要來一下，因

為我要讓全班知道，只要需要，我可以隨時用電話連絡到他們的家長。有時，學生的行為不良需要我召開校長、家長、老師都在場的三方會議。開這種會一定要事先準備好書面資料。例如，我會附上學生被罰午餐時間不准講話的日期清單，家長簽了名的留校輔導回條，以及學生之所以被打四個「x」的書面解釋。

這些懲罰看似嚴厲。坦白說，開學後最初幾個星期，班上往往有一半的學生要和我一起共進不准講話的午餐，下課時間不能出去，我天天放學後都要陪一大堆學生留校。不過大約一個月後，學生就搞清楚要怎樣才不會惹上麻煩，這時的懲罰便減少許多。剛開學老師會比較辛苦，但到後來，辛苦都是值得的。

懲罰措施是必要的，是孩子品學進步的重要關鍵。每個學年開始，我還沒講班規前，都會先跟學生說一段話，其中所傳達的訊息我在隨後一整年裡會重複多次。我對自己的這段話深信不疑，我的語調會充滿熱情，讓學生都知道我是認真的。這段話類似這樣：

未來這一年有可能會是你一生中最好的一年。如果你們肯聽我的，照我的叮囑去做，我們創新奇蹟。你們必須相信我，信任我。我將用超過百分之百的努力，毫無保留，讓你們得到最好的教導。我不管你們過去的成績如何，也不在乎你們過去惹過哪些麻煩，這是新的一年，我們有個全新的開始。你們若願意照規矩來，盡你們最大的努力，我向你們保證，今年你們每位都會成為模範生。我們不但能成為全校最優秀的一班，也會成為全美國最優秀的一班。

這段話聽起來有點做作，但我誠心相信我說的可能成真，所以，它就是可能變成真的。我相信，隨便在美國挑三十個學生放進我這班，我都能讓以上的話成真。

重要的是，我以一種特別的方式說出以上那段話。我在講的時候，我表現出生龍活虎的樣子，一下走到這邊，一下走到那邊，我看著學生的眼睛，聲調帶著堅定的信念。我環視教室，可以從學生的臉上看出他們對我講的話相信起來。為什麼？很簡單，因為他們也想相信我說的是可能的，他們也想相信我是說真的。

要讓孩子表現優秀，還有一項要素，就是獎勵。學生表現不錯時，你需要讓他們知道。我獎勵他們的主要方式就是讚美。我利用所有可能的機會讓學生知道，他們哪些事做得不錯，哪些方面有天份。我發現，私下的個別稱讚相當有效，但當著其他同學的面稱讚，則更有說服力，效果最大。

我在北卡州教書時，教過一個名叫阿利斯的男生，他大部份學科的成績都很差，是不折不扣的D等學生，且他大部份課程都跟不上。在北卡州，五年級學生在學年結束時必須參加數學和語文的學力測驗，成績要達到第三級才算及格，第四級則表示超過及格標準。第一和第二級代表不及格，第一級的學生必須參加暑期輔導或留級。在我教他的前一年，阿利斯考到第二級，我雖然認為他大有潛力，他對學校課業卻是興趣缺缺。我很擔心他在五年級會落入第一級。

開學後第一個月，我正在教學生讀路易士的小說《獅子‧女巫‧魔衣櫥》，我要求班上同學猜猜下一章會怎樣，下一章的篇名是「來自太古時代更魔高一丈的魔

法」。阿利斯舉手答道：「我猜會出現一個更老的符咒，好到可以破除那個壞符咒。」答得完全正確，我可是逮到一次可以好好利用的機會。我告訴全班，他的預測非常出色，我為他的準確判斷感到驕傲。然後我拜託幾位其他老師幫個忙，請他們告訴阿利斯，他們聽說他對這部我們正在閱讀的小說有過確實不錯的推論。我打電話給阿利斯的媽媽，告訴她阿利斯在語文課很專心，在上課時有很好的表現。我是不是有點過頭了？也許吧，但這一招肯定成功。

當我們開始閱讀新的一章時，我再次要求學生做預測，阿利斯第一個舉手，他不一定都對，但我都會表現得彷彿真的沒注意到他講錯。比方說，不管他的答案多麼「離譜」，我不說他講錯了，而是類似這樣來回答他：「喔，我知道你為什麼會這樣說，阿利斯，有沒有人能告訴我…」我非常努力去建立阿利斯的自信心，我最不想做的事就是撕毀他的自信。我有時在上語文課時，會這麼告訴學生：「這一段真的很難，我要確定全班都能讀懂作者想表達什麼。我確信阿利斯和少數其他同學有讀

懂，但我要大家都懂。」

那一學年結束，阿利斯成為我班上語文成績最好的學生之一，他在學年結束的語文測驗中考到第四級。阿利斯得到讚美，建立起自信心，開始相信自己很能閱讀，隨後，他果然真的很能閱讀。當然，高度的期許、個別的指導、其他的種種激勵，都促成了阿利斯的突飛猛進，但我知道最重要的關鍵，毫無疑問，就是讚美。

然而，有時候讚美還不夠。通常，每年都有二十五次到三十次，我會帶學生出去從事校外活動。但不必然每次都帶著全班。學年剛開始，我都只帶三到四名同學，出去也只是短途。這是很容易管理的人數，去的地方對我來說也大多不需要太多計劃或額外的準備，比如看電影，或參觀博物館。這樣做既輕鬆且省時，但肯定會影響班上的氣氛。當其他學生發現我帶一群學生去看電影，他們會疑惑自己何以未雀屏中選。我第一批帶出去的，通常是行為良好或課業表現不錯的學生，如此一來，就會激勵其他同學跟進。

然後，我才會邀請全班從事規模較大的校外活動，

但那些表現特別不符預期的學生不會獲得邀請。這類活動也非常有趣，好比看職業籃球比賽、到海邊、遊樂園玩，以及各式各樣的藝文演出或展覽。此外，我每年都至少會舉辦一次的在外過夜的旅行，可當作一種重要的激勵。不過我從這類旅行中學到一件事，就是不能將這種活動當成一種懲罰措施。不能參加這種有趣、快樂、又具教育意義的旅行確實會傷害一個小孩。我曾多次為了讓一些孩子參加而向家長爭取。有些家長覺得子女表現不好，不配參加，但我告訴他們，不讓孩子去，造成的傷害可能更大。

　　有一次，我安排十二名學生參觀北卡州大學籃球隊的練習。對孩子來說，這就像作夢一樣，都興奮不已。為了參加這次活動，他們必須用選手的統計資料完成數學習題和其他指定作業，他們還得研究這所大學的歷史和它的籃球課程。出發之前幾天，有位名叫羅德里格的男生未能查到所有資料，也交不出習題。我當著其他學生的面告訴他，如果不能在次日完成，他就不能去。第二天他慌慌張張走進教室，說他把一張習題忘在學校，

才無法完成作業。我毫不猶豫地告訴他，他不能去。我知道他的心都碎了，但顯然他不願在其他同學面前顯露出來。我們在狄恩圓頂體育館的那整段時間，我一直在想著羅德里格，想這件事會對他造成多大衝擊。學生甚至可以和北卡大學籃球隊的球員一起投籃。這是一生中僅有的一次機會，而我卻剝奪了羅德里格的機會。他雖然沒有完成他的功課，但我不該對他說，他若不交出那些習題就不能去。在有些狀況下，不應該使用這樣的約束。您應該要看大而不是看小，捫心自問怎樣做對孩子最好。對羅德里格來說，較好的懲罰是要他未來一個星期每天放學後留下來做額外的作業。我不該剝奪他參加這次活動的機會。沒收一些東西沒問題，取消一些權利來懲罰學生也沒問題，但我們不應剝奪那種能用來鼓舞或改變孩子一生的體驗。

有關獎勵和處罰的措施，我還要再提出一點：獎勵和處罰都要在學生一有好表現或壞表現後就立即執行。有時為了應付學校行政當局，不可能做到這樣。在一些學校，如果孩子犯規被記下名字，可能要幾天以後才被

叫到辦公室接受懲戒。有時學校會公布「本週優良學生」名單，這些學生可以從校長那裡得到冰淇淋之類的獎勵，但拿到獎品可能是幾個星期以後的事。想像一下我們的薪水（我們的獎勵）延遲兩個星期才發，我們會是什麼感受。老天慈悲，我如果晚拿兩週薪水，就得靠黃瓜三明治和餅乾過活。同樣的，如果籃球比賽中，裁判鳴哨，吹的卻是上一節的犯規，會是什麼結果？只會讓人覺得莫名其妙。

我記得有一次我將學生每七人分一組，告訴他們在星期五拼字測驗中獲得最高分的那一組，我要請他們吃披薩。那個星期果然考出那一年拼字測驗最好的成績，獲勝的一組分數全部得到一百分。他們非常興奮，準備在當天享用一頓披薩。但我忘了準時訂購，以致披薩未能在中餐時送來。我告訴他們我星期一訂給他們吃。到了星期一，那組學生有兩人請假，結果沒吃成。等我再次想起這件事，又到星期五了，他們還是沒吃到披薩。可想而知，那個星期五的測驗成績是整年最低的。

另外，有一天早上我有兩名學生在洗手間打架。為

什麼這些學生老是喜歡在洗手間裡打架？我跑進洗手間，差點沒滑倒，兩隻手各抓住一名學生走出來。兩個人仍喘著氣怒不可遏，我把他們帶到辦公室去見校長。校長說她會馬上處理。可是當我們全班到餐廳吃午飯時路過校長室，我注意到兩個男生仍坐在辦公室裡。他們告訴我，他們還沒有見到校長，所以我只好帶他們去吃午飯。飯後我和兩人談了一番，把問題解決了。那件事發生在星期三。接下來的星期一，負責留校察看的老師來了，說這兩個男生要跟著她留校兩天作為懲罰。那時候，兩個男生已經沒什麼毛病，正在做自己的功課，專注於課堂上的事。打架的事早已忘得一乾二淨，卻在將近一星期之後才被罰到。這讓我想起姊姊最近告訴我的一個故事。她說，我的外甥奧斯汀在大賣場調皮搗蛋，但她得等兩個小時之後回到家，才能叫奧斯汀面壁思過。她說，奧斯汀根本想不起來他為什麼會受罰。

為了講效果，處罰和讚美一定都要馬上給。獎懲的時間越接近發生的時刻，對孩子的影響就越大。

結語：我總是想為別人製造一些特別時刻

　　當我寫完這本書時，我很快樂。要讓這麼多的想法、概念、故事躍然紙上，比我當初想的要困難許多。本來我以為已經把書寫完了，好友阿曼姐卻問我：「所以，你的書要怎麼結束？我不喜歡一本書沒有好的結尾。」我深深吸了一口氣。我重視她的意見，她這麼說把我嚇得魂飛魄散。我該怎麼結束這本書呢？首先，我知道至少阿曼姐會喜歡這樣的結尾，因為她的名字在裡面（Amanda Rae Nixon，家住美國北卡州希望工坊鎮），但對其他人來說，我可能還需要寫些別的。正在想該怎麼結尾時，我剛好與我在史諾登小學的同事瓊絲老師聊天。她說：「克拉克老師，請告訴我，你在書裡面是怎麼寫人生的意義的？我喜歡聽你談人生的意義。」我當時還沒寫到人生的意義，這似乎是個適當的結尾，所以我這麼說吧⋯⋯

　　對我來說，人生就是許多體驗的總和，有的體驗是

我們為自己製造的，有的是我們為別人製造的。身為一個老師，也身為一個人，我總是想為別人製造一些特別時刻。我先前提到，我曾帶學生去北卡大學看該校籃球隊練球。當練球結束時，我告訴學生：「孩子們，我說我們只是來看，但是你們現在得換裝上陣，因為我們要在這個體育館打一場球！」我仍記得肯尼跳上跳下的興奮模樣。他臉上全是狂喜、興奮、激動。這一刻他將永遠不會忘記。

像這樣的時刻在我的教書生涯中曾出現過多次。例如：向學生宣布我們將前往白宮，向哈林區的學生宣布我要帶他們去洛杉磯，帶著學生坐在最前排觀賞「歌劇魅影」，還有任何讓學生感到「我正活著！我正在百分百地體驗人生！」的情境。為他們創造那樣的特殊時刻，幫助別人去體驗那樣的大喜悅，就是我的人生意義。如果你從這本書沒有得到什麼，至少我希望這本書能給你打個強心針，讓你從此會更想要去為孩子的人生創造更多的改變，去引導他們的成長，不放過任何對他們表示關懷的機會，去安排特別的時刻，讓孩子的人生更多采

多姿，激勵他們去為別人的人生創造改變，還有最重要的，就是去教他們要熱愛生命。

ARS LONGA

ARS LONGA